感染症と差別

高石　伸人（たかいし　のぶと）

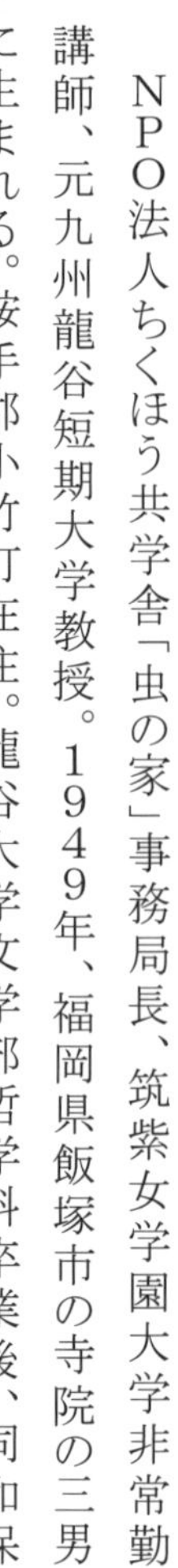
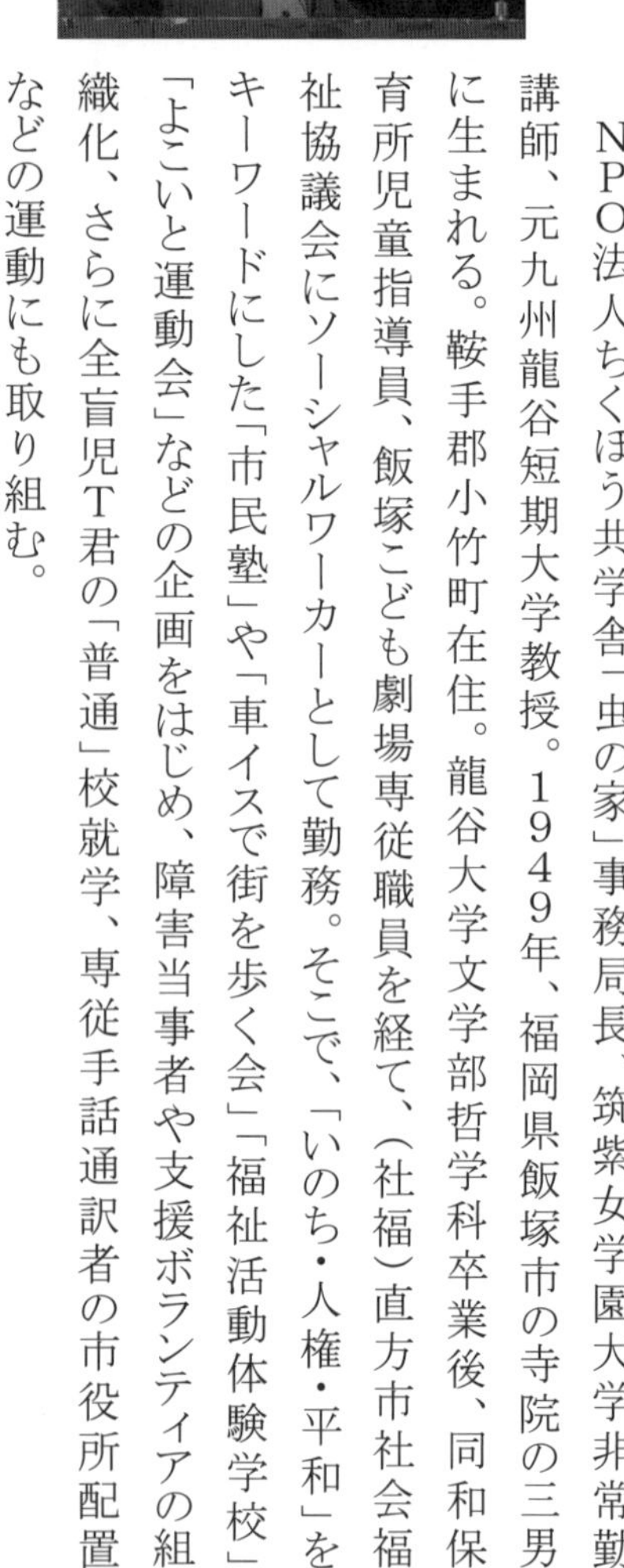

ＮＰＯ法人ちくほう共学舎「虫の家」事務局長、筑紫女学園大学非常勤講師、元九州龍谷短期大学教授。１９４９年、福岡県飯塚市の寺院の三男に生まれる。鞍手郡小竹町在住。龍谷大学文学部哲学科卒業後、同和保育所児童指導員、飯塚こども劇場専従職員を経て、（社福）直方市社会福祉協議会にソーシャルワーカーとして勤務。そこで、「いのち・人権・平和」をキーワードにした「市民塾」や「車イスで街を歩く会」「福祉活動体験学校」「よこいと運動会」などの企画をはじめ、障害当事者や支援ボランティアの組織化、さらに全盲児Ｔ君の「普通」校就学、専従手話通訳者の市役所配置などの運動にも取り組む。

１９８６年から、自宅敷地内に「障害」をもつ隣人たちと共に障害者地域活動センター「虫の家」を設立。さらに２００８年には、虫の家の一角に「杉野ハンセン病資料室」を開設し、「障害」者の活動支援やハンセン病療養所入所者との交流を中心に、「少数者」の日々にこだわりながら右往左往を続けている。共著に、『「新優生学」時代の生老病死』現代書館、『水俣五〇年―ひろがる「水俣」の思い』作品社、『弱き人の側に立ちて』永田文昌堂など。主な論文に、「証言『らい予防法』を生きて」「閉塞する死～『商品化社会』の精神に関する一考察」「『住民主体』原則のアポリア」などがある。

はじめに

新型コロナウイルスと閉塞する社会

　早いもので、国内で新型コロナウイルスの感染が報じられて一年になります。改めて、他者を遠ざけることで身を守る「新しい日常」からどんな未来が描けるのか、自分が生き延びること以外に関心が持てない社会になっていいのか、というアガンベンの提起は、私たちの今を考える上で重要な意味を持っています。感染症は、コレラやペスト、ハンセン病の歴史が教えているように、人類にとっては手強い相手であり、感染者はしばしば差別や偏見に晒されてきました。今回の新型コロナ禍でも「ウイルスよりも人間のほうがこわい」という声があちこちから届きました。近隣の市でも、最初に新型コロナに罹患した方の家に投石や落書きなどのバッシングが続き、引っ越しをされたという話を聞きました。また、医療・介護従事者や家族が嫌がらせを受けたり、営業を続ける店舗への非難の張り紙や県外ナンバーの車に傷をつけたりといった事案が報道されました。支えるべき病気の人が「うつる病」と分かると「加害者」のように扱う私たちの歪んだ感覚。これまでのハンセン病や水俣病の経験から何を学んできたのでしょうか。

　また、社会の分断という意味では、三月の「一斉休校」によって、経済基盤が弱い、リスクの高い家庭が追い詰められました。給食だけでなく、頼りにしていた「子ども食堂」の休止や閉鎖によって日々の糧とともに行き場を失った子どもたちもいたようです。さらに、安倍元首相の動画が物議をかもした「ステイホーム」の呼びかけは、ホームのない人、ネットカフェの休業で住む場所を失った人、失いかけている人々が急増しているという実態を無視しているように映りました。同じく、家に居ながら仕事ができるという「テレワーク」についても、それが可能で教育や収入も高い知的労働を担う層と、困難な現業労働者等との格差の拡大も可視化されました。それは「オンライン教育」においても同様で、公立か私立か、地域や家庭環境によって違いは大きく、将来の教育格差にまで影響が及ぶという指摘もありました。

そして、私が一番気になったのは、医療現場における問題です。一時の医療ひっ迫の状況下で、数に限りのある人工呼吸器やＥＣＭＯ（体外式膜型人工肺）の配分をどうするかの議論が浮上しました。新聞でも、「命の線引き」という見出しで、イタリアで「回復しやすい患者優先」、スペインでは「高齢者を見捨てた施設」などの記事が掲載されました。もっともこの「トリアージ」（治療の優先順位）というテーマは、コロナ禍以前の「平時」の問題として潜在していました。相模原障害者施設殺傷事件の死刑囚、植松聖青年が問いかけた「障害者はいないほうがいい」という考え方にも繋がります。既に、生殖医療の現場では「クラス分け」と称して、ある種の染色体変異を持つ子どもには、特別な医療的措置は行わないというルールができているそうです。つまり、「誰を死なせて、誰を生かすべきか、私たちは決めなければならない」ということです。

今や、いつ、どこで何が起きるか分からない時代を私たちは生きています。「文明は感染症のゆりかご」という言葉がありますが、人間による地球環境、生態系の破壊によって、新型ウイルスの拡大や気候変動といった世界的危機の事態に立ち至っているという認識が語られているのです。こうした新型コロナ禍の閉塞した状況でこそ、私という存在は多くの人たち、生き物の命の「つながり」の中で生かされているということ。だからこそ、このかけがえのない「いのち」を大切に生きていかなければならないということに気づかされます。そして、病気や障害で苦しむ人を支え、誰からも話しかけられない人の傍らに身を置く、そんな、文字通り「人間」としてのつながりを手放してはいけない、と自分に言い聞かせています。

『教区通信・ふくおか』２０２１年３月１日、１３３号
（浄土真宗本願寺派「御同朋の社会をめざす運動」福岡教区委員会発行）から

目次

質疑応答　54

当日資料　64

「いのちの平等な尊厳の実現をめざして」

新型コロナウイルス感染症が炙り出した分断と差別

髙石　伸人（たかいし　のぶと）
ＮＰＯ法人「ちくほう共学舎・虫の家」事務局長

（講演録を編集）

第1章　個人的な体験

（1）「虫の目」と「鳥の目」、二つの視点から見ていく

私は、福岡県鞍手郡小竹町という人口８０００人ぐらいのところに住んでいます。今年で35年になりますが、「ちくほう共学舎・虫の家」というホーム（「障がい者地域活動支援センター」）を開いています。「〜の家」というのは、今増えていますが当時はなかったと思います。「虫の目＝下から見ていく」と「鳥の目＝上から全体を見ていく」という二つの視点から社会を見ていくということを大切にしています。鳥瞰図の視点も大事ですが、障がいをもった方々と歩みを共にし、彼ら一人ひとりの様々な思いに寄り添うためには、地を這う虫の目で生きていきたい。その虫瞰図になぞらえて虫の家としました。また、「一寸の虫にも五分の魂」、「獅子身中の虫」という言い方がありますから、そんなことも呑み込みながら日々を送っています。「虫の家」を設立して三年目に知的障がいの子を授かりました。天啓のように「やってきてくれた」という思いで、名前は衆（ひろ）とつけましたが、そ

んな彼との日々を楽しみながら学ばせてもらっています。

そんな中で、今日のテーマである新型コロナウイルス感染症の広がりがあったわけです。正直に、これほど新型コロナが拡大するとは思っていませんでした。

（2）新型コロナウイルスに感染して考えたこと

私は、県内で学校保健の先生方と共同研究の会をもっていますが、そこでの先生方の観察も新型コロナはそんなに大騒ぎするものではないという印象ではなかったかと思います。

さらに私自身が新型コロナウイルス感染症に罹患しました。虫の家のデイキャンプの折にですが、もちろん十分に注意をして三密の回避はもとより、色んなことに気を配ってやりました。お陰で障がいをもったメンバーの感染者はありませんでした。しかし、私と連れ合いと息子、時系列的に言えば、私が二人にうつしたと思うのですが、家族3人だけが感染しました。キャンプの支援者の方が感染されていて、その方からいただきました。9月1日から2週間専用病棟に入院していました。3人のうちで、私だけが10日間ぐらい38・7度の発熱が続き、医療スタッフの方も心配されたのですが、この病院では一切薬を使いませんでした。他の病院ではタミフルとかを使用されたと聞きましたが、10日ぐらい発熱が続いた後、急に下がりました。そのあと72時間以上熱が出ませんでしたので、「よかったですね、大丈夫です」と病院スタッフに言われ、私も身内も安心しました。

入院して思ったのですが、私はハンセン病療養所の菊池恵楓園に入所されている方と家族ぐるみの付き合いを20数年させていただいています。ハンセン病について少しは学びをさせてもらってきましたから、今回コロナ肺炎に罹って、入院にいたる過程、病院にどのようなかたちで連れて行かれて処遇されるのか、いろいろ考えていました。医療従事者の方ががんばっておられるのは分かっていますから、こんな話をするのは気が引けるのですが……。

まず、保健所の方が普通車で自宅まで迎えに来られました。午後2時の暑い盛り、車は、前の座席と後部座席がビニールシートで仕切られていて、後ろの窓は少し開けてあります。前の席はエアコンがガンガン効いているのですが、後ろは、本当に暑くて熱風が入ってきます。病院に向かう最初の一歩として患者の立場からはどうなのかと感じました。

また、移動中周りからどんな目で見られているのか気になりました。もちろん、車のボディに「感染症患者移送中」とは書いてありませんでしたが、かつてハンセン病患者の方が岡山の長島愛生園に移送されるとき、貨物列車に「感染者移送中」の張り紙がしてあった。その紙を男子生徒たちが涙を流しながら破るのだが、そのたびに張り直されたという話をされたことを思い出しました。もちろん比較にさえならないのですが、周りの目線が気になっていました。

病院についてもすぐには対応してもらえず、熱風の車の中で20分ほど待たされました。

今改めて、そんなことがあったなと思い出しているところです。

(3) 今、問い直されていること

みなさんの資料にイタリアの哲学者ジョルジョ・アガンベンの言葉を引いています。ご存じのようにイタリアも、新型コロナウイルス感染症で酷い状況を被っています。イタリアのそんな状況をふまえアガンベンは、ある種の憤りをもって、次のような文章を書いたわけです。この文章は、良くも悪くも大きな反響をよんだと聞いています。

「死者-私たちの死者-は、葬儀を執りおこなわれる権利がないし、愛しい人の死骸がどうなるのかはっきりしない。私たちの隣人なるものは抹消された。このことについて教会が沈黙しているのは興味深い。いつまで続くのかもわからぬまま、このようなしかたで生きることに慣れていく国にあって、人間関係はどのようなものになるのか？　生き延び以外の価値をもたない社会とはどのようなものか？」　（『現代思想：緊急特集』青土社２０２０年）

みなさんの中にも似たような体験をされた方もいらっしゃるでしょう。私の親しく付き合っていた先輩が去年の12月末に亡くなられました。何度も面会を求めたのですが、コロナ禍でかないませんでした。私はご家族にもお願いしたのですが、「私たちも面会ができないのでつらい思いをしています」と。たまたま、先輩もお連れ合いさんも手話ができたので、「窓越しに手話でいくらかの簡単な会話ができたのが救いでした」と話されていました。

実際に感染した方の場合には、そんなお別れさえできずにご遺体が火葬場に運ばれたという例もあったようです。ウイルス学が専門の西村秀一さんは、その著書の中で「何てバカなことをするのか」とはっきりと指摘されています。「死んだ方は呼吸もすることはないのに、何で対面さえさせないのか」と。葬儀屋さんたちもガイドラインを作ってやられているのでしょうが、「何でこんなことになるのか」とお書きになっています。

本当に、いのちの尊厳を守る最後のところで、襟を正してその方を見送らないといけないのに、それができない。他者を遠ざけることでわが身を守るっていうアガンベンの言い方はきついですが、「自分が生き延びることだけを考えている。そんな人間関係の中でどんな未来が描けるのか」と問いかけているのです。

この問いは、私にはとっても重いです。虫の家で一緒に生きてきた35年間、そして人権について考えているみなさん方にとっても、非常に深い問いかけではないでしょうか。私たちは、一体どういう社会をつくろうとしているのか、望んでいるのかということが深く深く今回の新型コロナウイルス感染禍の中で問い直されている気がしました。

(4)「個としてのいのち」と「つながりとしてのいのち」

今日申し上げたいことの一番目ですが、人は「個としてのいのち」と「つながりとしてのいのち」を生きているのだということを、改めてしっかりと噛みしめたいと思います。

「個としてのいのち」は、個人の尊厳として憲法13条に明記されています。その個としての尊厳が、コロナ禍での最後の別れという局面で大切に扱われているのかということを先ほど言いました。

さらに、「つながりとしてのいのち」という点でも、バラバラにされ分断が進んでいるのではないかと私自身は感じています。そういう中で、ニューノーマル（新しい日常）などと言われると違和感を覚えざるを得ないのです。そして実は、新型コロナ以前から、つまり平時において、このような個の尊厳やいのちのつながりを軽んじる状況があった。それが、新型コロナウイルス感染症で炙り出されている、そんなふうに私は思っています。いのちの平等な尊厳ということを求めてきたのだけれども、「個としてのいのち」も、そして「つながりとしてのいのち」も、その双方が深く傷ついているというか、そういう危うい状況にあるというふうに思います。

今は、医薬品の開発あるいはワクチンを早急に導入しなければいけないということが言われていますけれども、この間の歩みを振り返ったときに「非製薬的介入」というふうに言うようですが、つまり有効な薬がない、ワクチンがないわけだから、私たちは密集と移動を避けるということによってしか感染を食い止められない。それが、前提条件であったということであります。

しかし、考えてみれば、いや考えなくても「外出自粛要請」というのは移動の自由の制限にかかわる訳ですから、私権への介入という危うさをはらんでいたわけです。けれども、必ずしもそのような危機意識を確認し共有するということすら、私たちはしてこなかったのではないか、少なくとも私の周辺ではそんな思いがしています。

第2章　新型コロナウイルス感染拡大の経過

まず、最初にこの間の歩みを振り返るということで、読んでいただければわかることではありますが、要点だけちょっとおさえていきたいと思います。

(1) 国内初の感染者確認発表、WHO「パンデミック宣言」

日本で最初に新型コロナの感染者が確認されたのが1月15日と言われています。報道によっては、もう一週間前ぐらいから感染した方がいらっしゃったと指摘しているものもありますが、たぶん公式にはこの日でしょう。そして、3月2日に突然の一斉休校が発表されました。給食が命綱という子どもたち、そして、ひとり親家庭、非正規労働者世帯などをこの一斉休校は直撃します。

この方たちが十分に声を上げられないことをいいことにというか、聞こうともしないでそのような決断がなされました。ちょうどその頃、誤った情報でトイレットペーパーとかティッシュペーパーが品切れになるということがありました。まさに、これこそがアガンベンがいう自分の生き延びだけをひたすらに追い求めるという、他者への配慮がいつの間にか飛んでしまう、というそういう行為の表れだというふうに思います。

そして3月11日、WHOが世界的な流行宣言を致します。それから3月29日にはコメディアンの志村けんさんが新型コロナウイルス肺炎でなくなります。翌月の女優岡江久美子さんの死も併せて、感染による死の恐怖が拡がります。私たちはこういう有名人が亡くなったことによって、一層恐ろしい病気だというふうに感じることとなります。

(2) 7都府県の緊急事態宣言と同調圧力

さらに4月7日に東京、大阪、福岡など7都府県で緊急事態宣言が発令されます。

これも呆気にとられると言いますか、あれをあれよという間に決まってしまいました。緊急事態宣言などといいますと超法規的なと言いますか、ヘタをすると憲法違反ともなりかねないような内容の宣言が、比較的に抵抗なく発出されたということですね。

そして全国の一世帯に2枚のマスク配布が安倍政権によって決定をされます。平仮名で「あべさんのますく」というふうに言った人がいましたけれども、閣僚の中でさえ誰一人着けていないという、そんな光景さえ見られるような茶番劇でありました。いろんな情報があって、要した金額もさまざま記述されていますが、260億円は費やしただろうというふうに言われています。最初の2月13日の緊急対応策の第一弾が153億円ですから、これと比べても無駄遣いというか、無神経に思えてなりません。そして、この頃盛んに「外出自粛」そして「ステイホーム」とかアナウンスされました。動画で安部首相が家でくつろいでいるところが映っておりましたね。あなたはいいけれども、じゃあホームのない人、ネットカフェが休業になって、どこにも行けない人たちはどうなるんだということが、雨宮処凛さんなどの指摘の中で問いかけられたことでありました。そして「オンライン授業」、ネットでの中傷、さらに「同調圧力」など。

さきほども触れましたけれども、虫の家でキャンプをする時にも、「これほど新型コロナのことで騒がれているのに、キャンプをやっていいのか？　世間の目があるだろう！」という意見がありました。それでもまあ押し切ってといいますか、これだけの配慮を十分にしているんだからと、根拠を示して実施をしました。それでも、私たち家族は罹ったわけです。

そんなふうに「同調圧力」というか、世間の目を持ち出すということがあります。結局、「自己責任」に、あるいは「自己検閲・自己監視」というふうにも読み替えることができると思っていますが、そんな圧力がかかる。さらには、新聞でもですね、「命の線引き」や選択、選別が進んでいるということなども報道されました。

（3）緊急事態宣言の発令と「ＧｏＴｏトラベル」キャンペーンの矛盾

そして4月16日、全国で緊急事態宣言が発令されました。5月4日に、5月31日まで宣言が延長されるという報道がありましたが、25日にやっと全国で宣言が解除されました。それから6月16日に、厚労省から、コロナ禍に伴う解雇が2万５０００人にも及ぶ、うち非正規労働者が54％を占めているという発表がありました。非正規労働者の問題は、それまでも指摘されていましたが、コロナ禍が追い打ちをかけた、そういうことであろうと思います。

7月22日には、観光需要喚起策として「ＧｏＴｏトラベル」キャンペーンがスタートしました。冒頭に言いましたように、一方で移動の自粛を言いながら、他方で奨励をするという実に矛盾したキャンペーンを張るわけです。

(4) 医療逼迫の危機を生み出したもの

その次が、7月31日に1日の感染数としては過去最多の1463人を数えました。次の資料の最後のところに書いていますが、今回はいく度も医療の崩壊あるいは医療の逼迫ということが叫ばれたわけです。

【資料】

「一日当たりのコロナ感染者数がピークを迎えたころ、深く憂慮されたのは、日本でもまた『医療崩壊』の危機そのものであった。…(略)…切羽詰まった市民が真っ先に駆け込む『保健所』の能力も瀬戸際だった。保健所はスタッフの人数も含めて『改革』の対象とされ、キャパシティは半減に近い窮地に追い込まれていたのだ。コロナ禍に見舞われる直前まで、安倍政権が目指していたのは『地域医療構想』という名の医療『改革』であった。…(略)…整理・統合すべき医療機関として名指しされたのは全国440にものぼる公立・公的病院である。それら病院は2025年までに合計5床を超えるベッドを削減しなければならず、代えて在宅医療、リハビリ向け病床へと転換を迫られていた。…(略)…地域住民にとり『医療崩壊の日常化』、すなわち市民にとって真の『緊急事態』が目の前の現実となる日が、すでにスケジュール化されていたのだ。」
（内橋克人）

冒頭に述べたように、本当に保健所は一生懸命にがんばっておられた。私は当初、キャンプに参加した人の名簿を全部保健所と打ち合わせをしながら、9時過ぎまでかかって作りました。翌日の夜も保健師さんからメールが入ったんですが、その時間も10時近かったと思います。つまり、ほぼ毎日のように長時間の労働条件の中におられたということを知っています。

しかし思い起こすと、筑豊にも20年前は直方市にも飯塚市にも保健所があった。それが、政府の医療制度改革の中でどんどん削られていった。そういうことが今日の医療逼迫、保健所の方たちが大変な負担を背負わされたということにつながっているわけです。

加えて、資料にも書かれていますが安倍政権は「地域医療構想」という名のさらなる医療改革を進めようとしていました。これは私自身も報道で確認したことを覚えていますけれども、ターゲットを絞って整理・統合すべき医療機関を全国で４４０箇所、とりわけ公立・公的病院を削減すると計画していたんですね。

この資料は、内橋克人さんがまとめられたものですけれども、「へたをすれば、医療崩壊の日常化という事態になるかもしれないのだ」という。それがたまたま数年早くこの新型コロナの流行が来たので、何とか今の状況でとどまっているだけで、もっとひどい状況になっていたということを、私たちはこの機会にしっかり押さえておく必要があるだろうというふうに思います。

（5）年末・年始にかけての第三波へ

8月に安部首相が辞任を表明し、9月16日に菅義偉さんが99代目の首相に就任します。10月1日には入国制限を緩和し「ＧｏＴｏ」キャンペーンを拡大すると、10月29日には国内の感染者が10万人を超えて再び増加傾向ということになります

12月12日に感染者が過去最高の３０４１人、３０００人を超えるのですね。重症者も過去最多の５７８人。そして、12月13日には「ＧｏＴｏトラベル」の一時停止ですね。さらに12月の最後です。31日には全国で４５２０人が確認されて重症者も６８１人。福岡県でも１９０人でした。

この年末から年始にかけて、一気に増えて第三波という言い方がされましたけれども、1月7日には全国で７７７５人、東京で２４４７人、福岡が３８８人の感染者が出ました。福岡県は1月16日に４１１人という数値を示して、これが一番多い。

（6）数値化によって見失ってはいけないもの

ただ、ここで申し上げておかなければいけません。私は、この数値化によって一人ひとりの名前と言いますか、固有名というのが失われていないか、そこにちゃんと尊厳に満ちたそれぞれの人生があったということを忘れないようにしないといけない、と感じています。発表される数値によって、その一人ひとりの大切な命への感受性というのが失われていかないようにしないといけない。数値化とい

うのは「無名化」だと言ったのは石牟礼道子さんではなかったかと思いますが、そのことを改めて肝に銘じなければいけないと思います。

そして後はここには書いておりませんが、ご承知のように2月3日に感染症法などの改正法案が可決をされました。いわゆる罰則規定を設けるということですね。

かつてハンセン病の方たちを苦しめた、つまり「病気の人にペナルティーを科す」ということですね。本当に私たちは、そういう過去の苦い経験に学ぼうとしない。「日本人というのは反省能力がないんだ」と内田樹という哲学者が言いましたけれども、そのことを今回の改正感染症法案をめぐるドタバタ劇の中にも垣間見ることになってしまいました。

第3章　新型コロナウイルスが炙り出した私たちの差別性（いのちの価値づけと選別）

さてあらためて、こうした流れの中で、新型コロナウイルス感染症が炙り出した私たちの差別性というか、社会の分断と差別について整理したいと思います。

（1）無知・未知のウイルスへの恐れから生み出される社会の混乱

まず、何よりも新型コロナウイルスが未知のウイルスであったっていうこと、つまり未知のウイルスを前にすると、私たちはまず恐れ、恐怖が先にたってしまう。既にいくらかの専門家の方が指摘をしているように、「無知（未知）＋恐れ＝ヘイト」という図式ですね。まさに、私たちは疑心暗鬼になりとても恐いというふうに反応し、それを感染を疑われる方々に憎悪という形で向けていくということをやったわけです。

具体的には、医療者やその家族に対する中傷あるいは嫌がらせが横行しました。医療従事者への嫌がらせや差別が、去年の10月から12月までの3カ月で、分かっているだけで７００件もあったそうです。みなさんのお近くでも、例えば「病院の看護師さんが、保育園から子どもさんは来ないでと言われた」などということはなかったでしょうか。

私の長女は保育士をしていますが、近隣でそんな話を聞いたと言っておりました。中にはバイキンとか感染源というような言葉を投げつけるケースもあったようです。それから先ほども触れましたけれども、デマとか誤情報による社会の混乱、そして営業自粛の強制ですね。「同調圧力」と言わなければなりませんけれども、営業を継続していた店舗に張り紙で嫌がらせをする、あるいは個人を名指しして通報する。また自警団とも呼ぶべき「自粛警察」というようなことが問題化しました。

それから、これは私の住んでいる町の近くで実際に聞いたことですが、感染者の自宅に投石をされたり、落書きで嫌がらせをされたり、結局そのご家族は引っ越しをなさったということです。

（2）吹き荒れるヘイトスピーチと感染者排除、そして「自粛死」

さらに、飲食店の利用や車の他県ナンバーに対する妨害行為、歯科医の診療拒否等々が各地で頻発しました。加えて埼玉県の朝鮮初中級学校の幼稚部が市のマスク配布対象から外されるというようなことまで起きました。園長の朴（パク）さんは、子どもの命まで線引きをされたというふうにおっしゃいました。幸いというか、抗議が相次いだことでやっと配布されたということですが、その後も「マスクが欲しければ国に帰れ」などのヘイトスピーチの嵐が続いたそうです。

まさに全国で、感染者を加害者というふうに扱っていくという、こういう感染者排除の空気が広がっています。ルールを守れない＝悪というふうに、その感染を位置づけていく。そうした空気の中で、聞かれたこともあると思いますが「コロナ鬱（うつ）」がずいぶん広がった。さらに「コロナ鬱」から自死に追い詰められた方もいらっしゃったということです。

それから、私は「自粛死」という言葉を使っていますが、真面目に要請を守って外出自粛していた方が、誰とも連絡を取らないまま家の中でポツンと死んでいかれているという、コロナ関連死と言ってもいいのではないかと思いますが……。つまりしっかり要請を守った方が孤立死をしていくということの実態にも、もっと私たちは注目しなければいけないというふうに思っています。こうしたことが全国で起こっています。

（3）高齢者施設・精神科病院など福祉の分野における不安の増大

次に、私が関わっている福祉の分野でいえば、最近、高齢者施設、さらに精神科病院でのクラスターが多数に上っているということです。とりわけ精神科病院でいえば認知症病棟などにクラスターが発生しているという情報も耳に入っています。

今後は、例えばワクチン接種をめぐる格差と言いますか、世界的には南北問題といいますか、そういうことも多分出てくるのではないかと懸念しています。

先ほどもちょっと話しましたが、うちの息子は重度の知的障害がありますけれども、もし彼がひとりだけ感染していた場合、とても一人では入院生活ができませんのでどうなっただろうかと想像します。こういう事態への配慮というのは本来、コロナ前と言いますか、平時における災害支援の問題と深く結びついていて、そこの条件整備がきちっとされていない事が、困難を抱える人たちに不安を与えていると思います。

第４章　いのちより国策 ‐ 私たちはずっと少数の人の犠牲を見過ごしてきた ‐

次に進みます。私たちは実は先ほども言ったように、過去にも同様の過ちを犯してきたのではなかったのだろうかということを少しだけ振り返ってみます。

(1) ハンセン病 ‐ 日の丸の汚点 ‐

今回配布された資料（福岡県教育委員会『カラフル』No.10）にも九大の内田博文先生がお書きになっていますし、ハンセン病国賠訴訟で弁護団長だった徳田靖之さんは『毎日新聞』（２０２０年11月24日付）にハンセン病問題に学んでこなかったということに触れて、差別する人に共通する次の4点を指摘しています。

一点目は、かつて感染者を迷惑な存在として地域社会から排除していったけれども、同じことをまた繰り返している。

二点目は、その感染を自己責任というふうに捉える。感染したあなたの日々が問題だという視点になっていく。

三点目は、自分は感染しないという不思議な思い込みですよね。そんなことはあるはずないんだけれども、自分だけはなぜか感染しないというふうに思い込んでいる人が少なくない。

四点目は、自分は正義という確信をもっている。だから名指しして他者を排撃していくことができる。

こういうふうに徳田さんは言っておられます。

改めて言えば、本来はその感染症という病気の克服が目的なんですね。多くの人は分かっているはずなんだけれども、ハンセン病の場合には病気を克服するということが、いつのまにか患者の撲滅というふうにスライドをしていくわけです。

今回も同様に、ウイルスは目に見えませんのでウイルスを持っているあなたが危ない、あなたが悪というふうに横滑りしていきますよね。ウイルスというか、病気それ自体を克服できるように力を合わせなければいけないんだけれども、ウイルスを保持しているあなたを悪として排除していくという、そういう横滑りが起きているということです。

これはもう、過去のハンセン病の場合と同じ過ちを繰り返していると思います。かつて、ハンセン病は「業病」というふうに言われました。あるいは「天刑病」、そして国を辱める「国辱病」とまで言われたわけです。

1907（明治40）年に初めて「癩予防ニ関スル件」という法律ができますけれども、日本が文明化の道を歩む上で、「癩（らい）」は文明国の恥、「非文明病」「非文化病」であるとされました。そういうことでハンセン病の患者さんたちを、今は元患者さんたちですけれども、徹底して地域から排除していくという「無癩県運動」を推進しました。ここ福岡でももちろんやっています。そして、強制隔離や断種ですね。懲戒検束、つまり懲らしめ罰してやると言うんですね。まさに懲罰をもって患者を処遇するという、そういう手段を採用したわけです。その他にも村八分（外し）、いじめ、焼き討ちなどもやっています。

「病名貼付」ということもやっています。「伝染病予防法」が１８９７（明治30）年につくられていて、急性伝染病を対象にした予防法です。ハンセン病は慢性伝染病だったから対象から外されました。それで少し遅れて「癩予防ニ関スル件」が改めてつくられるということになりますが、玄関にその病名を書いて張っていくという、本当にひどいやり方をしているんです。そして、「家族訴訟」として裁判になりましたけれども、ご家族の方たちも随分被害を受けられたということがあります。

こうした患者撲滅政策を進めた医師、光田健輔という方がどんなふうに患者さんたちのことを見ていたかということですが、そこにちょっと例示させていただいています。

「養育院は東京市の掃きだめといわれるほど、雑多な行き場のない人たちが集まり、・・・腐った梨のように肉のくずれたライ患者が、のんびりとイロリにあたって煙草をふかしていた。」

「肉体の崩壊、醜悪、不潔、世に癩にまさる疾患あらんや。社会の指弾排斥を受け、その余波は九族に及ぶがごとき。人生の災厄は、癩を措き、ほかにこれにまさるものあらんや。」

（光田健輔）

（2） 水俣病 － 最大多数の最大幸福 －

二つ目です。水俣病を挙げました。ご承知のように水俣病は感染症ではありませんけれども、当初は、世界で初めての謎の病気でした。私の知っている水俣の茂道（もどう）という初期の患者多発地帯では、伝染病と言われ、奇病と指差され、投石をされたり崖から突き落とされたりしました。そういう様々な嫌がらせ、差別的な扱いが起きています。

水俣病は、もちろん病気によって差別がさらに大きくなるわけですけれど、もともと「漁民差別」、漁民に対する差別がある。さらに「流民差別」、天草流れ、薩摩流れに対する差別というのがあって、そこに水俣病が発生したのです。つまり三重の差別として、まさに苛烈に漁民の方々、とりわけ初期の水俣病の患者さんたちを襲うということになるわけです。また、金の亡者と言われ、病棟への隔離、離島での棄民ですね。そうしたことが次々に起こってまいりました。

先年亡くなられた石牟礼道子さんが『流民の都』という本の中に「水俣病問題の核心とは、金儲けのために人を殺した者はそれ相応の償いをせねばならない。」と書いておられます。たぶん言葉としては渡辺京二さんという石牟礼さんにずっと寄り添われた、その方の言葉ではないかと私は思っていますが、『流民の都』の中に記されています。

さらに、除本理史さんは「人間も水俣湾の魚も水銀汚染で奪われた命は、いずれもかけがえのないものである。にも関らず近代社会はこれを交換可能な経済的価値に置き換えようようとしてきた。人間の命ですら、補償という形で貨幣換算されてしまう」と指摘し、「水俣病の再生物語はこういう近代社会の根源的な問いにどう私たちが答えられるかということなのだ」というふうに言っています。いかがでしょうか。非常に重い問いかけであろうかと思います。

（3）フクシマ ― 核（原子力）の平和利用 ―

そして3つ目、これも感染症ではないわけですけれども、ご記憶にまだ新しいはずです。放射能がうつるという形で、学校で子どもたちがいじめを受けたり、あるいは診療拒否や入店拒否、給油拒否などが起こりました。ネットいじめもありました。そして、放射能が原因でDVがはじまり離婚にまで至ってしまうというようなこともあったようです。

その背景として、震災後に私も福島県の白河に行ったのですが、その折に被害に遭われた方からお聞きしたのは「私たちは、かねがね『白河以北一山百文』というふうに言われてきた」という一言、つまり東北の地への差別の上に今回の原発事故があったという指摘でした。赤坂憲雄さんだったでしょうか、「東北は、農産物などの東京への供給地だった。また低廉な労働力の供給地であった。さらに、東京への電力供給地でもあった」と書いていましたが、まさに、そのような差別構造の中に東北があり福島があったという問いに、ドキッとさせられたことを今も覚えております。

「原発の問題はまさに構造的差別の問題である」と高橋哲哉さんがおっしゃったのですが、沖縄の問題もそうです。そうした構造を、まさにコロナウイルスへの感染がはじまる前に、私たちは抱え込んでいたっていうことです。そこを改めて猛省していくことが欠かせないというふうに思っています。

第5章　私たちは「いのち」にどう向き合ってきたか「生老病死」の外部化（医療化）

さて次の視点です。これは今日まで続く感染者への中傷や差別という事態を考えた時に、言わばその今日的な背景というか要因、あるいは誘因というふうに言った方がいいかもしれませんが、その点にちょっと思いを巡らせてみたいということで提起をさせていただきます。

（1）無菌・無臭・清潔主義社会

山折哲雄さんという人は、「消毒液の匂いのする生老病死」と言い方をしました。現代人は「無菌・無臭・清潔」の「消毒液の匂いのする」生活空間を追い求めてきた。そこに今、新型コロナウイルスが侵入してきたという絵図が見えます。

本来私たちの生き死には、これは生（なま）ものでありますから、とくに福祉や介助の仕事に関わっていますと、人間はウンコやシッコにまみれながら生まれ、死んでいくものであるということをしみじみ思います。つまり、私もみなさんも生まれたときには、ウンコやシッコをもらしながら生まれ大きくなってきたのです。そして、やがて亡くなる前には　またオムツをして亡くなっていくかもしれないわけであります。そういう、いわば私たちの人生は生くさいものであろうと思います。そんな私たちの一生が、いま「消毒液の匂い」に包まれているというふうに山折さんは言うんですね。

これは、私がコロナ禍以前から指摘をしてきたところですが、無菌で無臭で清潔な環境に取り囲まれていると、本来備わっていた抵抗（免疫）力が弱くなっていくのではないかということです。それほど、私たちはいま、無菌・無臭・清潔ということにとてもこだわっているということがあります。例えば、今でこそ少なくなりましたが電話ボックスの公衆電話にも、「無菌処理をしています」というようなことが書かれていて、私はびっくりしたことを覚えています。

それから清潔主義についてです。「主義は中毒だ」と言ったのは、なだいなださんですが、私がこの清潔主義っていう言葉に最初に出会ったのは、１９８３（昭和58）年に横浜でホームレスの人たちが中学生に襲われて殺傷されるということがありました。

これは本当に衝撃的な事件で、私は実際に横浜まで行って現場を歩いてみたんですが、加害者の子どもたちは「僕たちはそんなに悪いことをしていない。社会のゴミを退治してやっただけ」と言っているっていう。つまり「みんな清潔な方がいいでしょう、あいつらは臭いから、僕たちはお手伝いをしただけなんだ」と言った。ホームレスの人をモノ＝ゴミと同じなのだというふうに子どもたちは思っているんですね。つまり、私たちが何気なく日々を、「これきれいにしておかなくてはいけない。バイキンがついとるかもしれんよ」というふうに言いながら過ごしている。その空気が、子どもたちの中に、ある種の清潔主義を育んでいく。朝シャンプーをしないと会社に行けないっていう、そういう人を私は知っていますけれども、そこまで徹底して清潔にこだわるということが身についてくる、そういう世代が生まれているんです。

（2） 出生前検査 ‐ なぜ胎児の病気や障害を調べるのか ‐

次に出生前検査。これは生老病死ということで言えば生まれることをめぐっての問いです。なぜ出生前に子どもを検査するのですか。どうして生まれてくる子どもの検査をさせるのでしょうか。どんな子どもが生まれてくるかということをなぜ調べるのですか。

わが家の場合には、息子がダウン症で染色体の変異で生まれてきました。生まれてきてすぐ病院の先生が「どうもちょっと心配なので検査をしましょうか」とおっしゃったので「結構です」とお断わりしました。つまりダウン症ということが分かったほうがいい理由があるのか。何が私たちに必要なのかというと、まあ言えば親としての覚悟ぐらいの話であると思います。ただ、ダウン症だから、例えば息子も心臓に穴が開いていますが、心房中隔欠損という場合がありますから、それについてちゃんと親として気をつけなければいけないということはあります。

けれども、検査をすることにそれ以上の意味があるかというふうに自問しますと、「まぁいいんじゃないか」いうことで結局、息子の衆（ひろ）はダウン症の検査を一度もしたことはありません。ただ、今も定期的に心臓の検診は受けています。

今日、生まれる前に命の選別をしていくという、少しストレートないい方をすれば「生きるに値する命と生きるに値しない命」を出生前に診断、判別するということ。現に新型出生前診断という、みなさんもご存じだと思いますが血液検査だけで染色体の変異について調べることができるんですね。最近よく新聞等で書かれていますが、動きが加速しています。

確かに、多くの方が検査できるような体制整備が進んでいます。しかし「多くの方が検査ができるようになる」ことと、「生まれてくるかもしれない子に障害があったらどうするか」という問いが結びついていない。したがって、検査をした方の90％から94％の方は障害をもった子が生まれる可能性がある（確率が高い）と診断されたら、産まないようになさっているんですね。このことをどう考えるのか。私は自分に障害をもった子がいるから「そういう子を生まないと決断する人たちは許せない」ということを申し上げている訳ではありません。

当然、悩ましい問いであります。その悩ましい問いの前に佇むということを私たちはしているだろうか。つまり診断技術は、そういう条件は進んでいます。しかし、私たちのいのちの誕生、線引きや選別をめぐる問いは今、しっかりとそこに根ざす形であり続けているか、ということが気になってしまうのです

（3） 老いと監視医療

二点目は、生老病死ですから「老いる」ということを二番目に考えないといけませんが、時間の関係でそこを省略しています。ただ、老いということでいえば今、認知症８００万人時代というふうに言われています。しかし、認知症は実は老いの自然過程ではないのか、ということをいくらかの方たち、詩人の谷川俊太郎さんなども言っています。認知症を患うという言い方からすると、認知症は病気なんだろうかということになります。老いの自然過程として捉えていかなければならないのでは

ないでしょうか。この老いをめぐる、あるいは老いの受容をめぐる問いも、実は認知症が私たちに突きつけているのだろうと思います。

高齢社会では、多くの方が年をとると制度やサービスに囲い込まれていきます。そのことが今回の高齢者施設のクラスターにも繋がっているわけですけれども、認知症８００万人時代になると、高齢者はどこに生きる場を求めることができるのだろうか。他人事ではありません。私はこの先、どこでどう生活しているだろうかということが大きな問題になります。

そして生老病死の「病」ですけれども、これはまさに新型コロナウイルスがそうですが、ちょっと角度を変えて言えば、「疾病と病気は違う」ということを医療社会学では言うんだそうです。例えば、メタボリックシンドロームというのは、病気ではないけれど疾病である。つまり、心配な病気になる可能性があるとして、メタボリックシンドロームというのが検査の対象になっている。この中にも高血圧とかでお薬を飲んでいらっしゃる方があるかもしれません。私の連れ合いも高血圧の薬を飲んでいます。しかし、高血圧とか高脂質症というのは病気なんだろうか。病気になるリスクがある身体を持っている人は、つまり、身体が「病気になる可能性をもったリスク」として監視されている時代なんだということです。これを監視医療というんだそうです。

もはや、医療を通じて人々の身体を監視する時代になっている。こういう医療の流れと新型コロナウイルスへの私たちの現在の慌てようというのが、私は無縁ではないような気がしています。いつどんな病気になるかもしれない体を私たちは生きているのだよという、そういう監視社会と監視医療の中に私たちは身を置いているということであります。

（4）死をめぐって１　脳死＝臓器移植と人の資源化

そして死をめぐってです。二つだけ例示をさせていただきます。脳死と安楽死についてであります。これまで、私たちにとって、死は三徴候死（三徴候死：従来から用いられてきた死の判定基準。心臓拍動停止、呼吸停止、瞳孔散大の三徴候を確認した後に死亡とする）でした。そんなこと言わなくても、みなさんは家族が亡くなる時には、自然に心臓、呼吸、瞳孔が働かなくなったから亡くなったと感じていたのではないでしょうか。

しかし、新たに脳死というもう一つの死が法定化されました。アメリカで脳死状態で子どもを産んだ方がいらっしゃいましたけれども、爪も伸び、体も温かい、そういう方を死者として扱う。脳死者として扱うということですね。敢えて「脳死＝臓器移植」とイクォールで結んでおりますのは、臓器移植のために導入されたという意味です。

つまり、脳死という概念が臓器移植という技術の進歩によって生まれた、創り出されたということであります。しかし、実際には日本の現状からするとなかなかうまく進まないので、例えば異種間移植ですね。人間に近い皮膚を持っている動物から移植をしようとか、あるいはクローン羊など、ドナーをどんなふうに開発していくかといったところに、今この国の医療技術研究というのは進んでいっている、そういう方向をめざしているということがあります。

私が個人的に危機感を持っている、警鐘を鳴らしているのは、デザイナーベビーです。つまりお腹を痛めずに、精子と卵子を保存する銀行から買ってきて、人工子宮に子どもを産ませる。自分たち夫婦の理想の子ども、例えば木村拓哉と安室奈美恵を掛け合わせたような子どもを産みたいので、木村拓哉似の方の精子と安室奈美恵似の方の卵子を買ってきて子どもをつくる。アメリカや韓国では既に精子銀行・卵子銀行があるらしいので、そういう方法で人工子宮を使って子どもを産む。つまり、デザインした子どもを「つくる」ということですね。これは生命観をひっくり返えしてしまうことになるのではないでしょうか。かつて授かりものであったはずの命を「つくる」と言う。若い人たちは「子どもをつくる」と言います。そんなふうに使っているうちに生命観が変わっていく。生命観の変更は死生観というか、人生観の変更に、そしておそらく社会観も変わっていかざるを得ないのではないかというふうに思います。

けれどもそういう根本的な問いに、テクノロジーというのは向き合わない。もうお構いなしに突き進んでいて、私たちの思考の方が追いつかない。私たちが考えないことをいいことに、技術はそこまで行ってしまっているということがあります。

(5) 死をめぐって 2　安楽死と健康強迫社会

加えて安楽死問題があります。これは昨年7月、覚えていらっしゃいますか？　筋萎縮性側索硬化症（ALS）の50代の女性が、「もうこんなみっともない体では生きたくない」ということで致死的薬物を希望され、二人の医師が薬、注射によって死なせるという安楽死事件が起きました。

まさにその女性の言われた「こんなみっともない姿で生き恥を晒してまでは生き続けたくない」と

いう、彼女にそう言わせてしまう私たちの社会の現状ですよね。それは医療体制の問題や人々の価値観、まなざし（文化）の問題といいますか、そういうものを厳しく問いかける、自死的薬物安楽死であったと思います。

彼女は、結果的に安楽死を選んだ。もちろん嘱託殺人に該当します。けれども考えてみると、この問いは、相模原障害者殺傷事件の植松青年の意図・主張に深く切り結んでいると私には思えます。つまりそこで問いかけられている優生思想というか、さきほども言いましたけれども、命を「生きるに値するいのちと値しないいのち」に分けて、値しないいのちは死んでも構わないという思想。それを裏返すと、「私みたいなみっともない体で生きていていいのかしら」、「早く安楽に死なせてほしい」というふうに彼女をして思わしめたということになります。

これはＡＬＳの方に限らないのですが、国会議員をしている舩後靖彦さんも「私も何度も同じような思いをした」と記者団に語っておられましたね。みんなそこをくぐっているのだと言われる。その告白が私たちの社会に突きつけている問いというか、その点を深く考えないといけない。相模原事件も死刑判決が出て、彼がそのような思いになっていく背景であるとか、彼の考え方と私たち一人ひとりの生活、あるいはこの社会の有り様がどう切り結んでいるかというところに、ちゃんとメスを入れなければならなかったはずなんですが、曖昧なままではないかと思っております。そういうことも実は問いかけられているというふうに思います。

こうした、「消毒液の匂いのする」ような死生観に社会全体が包まれ始めている気がしています。そして、もう一つ、２０００（平成12）年に「21世紀における国民健康づくり運動」（健康日本21）

というのが発表された辺りから、私は「健康主義」と言ったり、「健康強迫社会」と表現したりしていますが、健康に対して私たちはすごく敏感に反応するようになっています。

みなさんの食卓には、健康食品というかサプリメントというのがどれぐらいあるでしょうか。まったくないという人がいらっしゃったら「すごいな」と思います。わが家にも実はあります。テレビのコマーシャルでは、何十種類もの健康関連のコマーシャルが、休むことなく流されています。

2003(平成15)年の「健康増進法」には「健康増進は国民の責務」と書かれています。私たちは健康に生きていく責任を負わされているのです。「病気になってはいけない体」、感染症などに罹ってはいけない体を私たちは生きているのですね。それが「国民の責務なのである」と。こういう社会、こういう空気の中で感染が広がり始めると、当然に感染した方々を私たちのつながりから排除するという方向に動いていかないでしょうか。そのように、感染の疑いのある人を眼差していないだろうかと懸念されます。

先ほどメタボということでいいましたけれども、私たちの身体というのは常にそのような危ういリスクを抱えた代物としてあり続けている、あるいは見られているのですね。国によって監視されている。その手段がたとえば特定健診であったりする。

今、医療ビッグデータという形で、私たち一人ひとりの身体の細かい情報が国によって一元管理され始めています。そのことは既に学校保健の先生たちがずっと指摘され続けてきたことなんですけれども、いよいよ監視社会化といいますか、そういう方向に、今回のコロナ感染の問題を契機に一挙に舵を切っていくのではないかという危惧を、私自身は持っているところであります。

第6章　あらためて今回のコロナ禍で何が問われているか？

いろんな話をしてきましたけれども、改めて今回のコロナ禍で、何が問われているのだろうかということを最後に整理してみたいと思います。

(1)「文明は感染症のゆりかご」(山本太郎／国際保健学者)

この山本太郎という方は、テレビにも何回かお出になったのを見ましたけれども、国際保健学者という肩書きの方ですが「文明は感染症のゆりかご」であると書かれている。つまり、「文明を発展させてきた人間こそが、実はこの感染症を蔓延させる元凶である」と言われる。「人間による地球環境や生態系の破壊によって、新型コロナウイルスの拡大や気候変動といった世界的危機に立ち至っている。そういうことへの反省がなければならない。振り返りが求められているのである。」という指摘です。

こうした提起は、石牟礼道子さんが文学という形式で、近代化によって失ったものの大きさということを表現され続けてきたところであります。今、このコロナ禍によって改めて人間の傲慢さを知らしめられている。私たちは猛省するときに至っているという問いかけであります。

（2）「リスク社会」論

そういう視点で考えるときに、今とても参考になるのが「リスク社会」論であります。本当に今日の私たちは、いつ何が起きるか分からない時代を生きています。それを多くの方が、例えば自然災害であるとかで実感されている。これから何が起こるやろうか、どげんなるとやろうか、ということが普段の会話の中でも交わされる時代を私たちは生きています。

特に、日本の場合には、公害問題というのが社会問題として論議されていく1970年代から「リスク社会」ということが言われるようになってきたかと思います。ただし、私やみなさんにとって、どんな危険や脅威がリスクで、どんな危険なら許容していいと思っているのかということをいったん整理してみる必要があります。つまり、例えば交通事故のリスクだったら、私たちはそれほど怯えてはいない。しかし、それが感染症となると、かつてコレラやペストといった病に、私たちは震え上がってきたわけであります。では、その感染症というリスクについて私たちはどのように実感しているか、そのことを少し振り返ってみる必要がありそうだということです。

もう一つは、「命よりお金」という高度経済成長の中で生まれた価値観。これは先ほど触れた植松青年も言ったことですけれども、障害を持った人たちは経済効率という観点から考えると生産性の低い人たちだから生きている値打ちがないと彼は切り捨てたわけです。この経済効率性を優先して構築されてきたヒト・モノ・カネの国境なき交流というのが今回のコロナの世界的流行、パンデミックにも非常に大きな影響を及ぼしたということであります。

そのことを私たちは、「新しい日常」（ニューノーマル）といわれる暮らしの中で、果たして考えようとしているのだろうか、ということを申し添えておかなければなりません。「人間は地球に巣喰うシロアリである」といったのは農民作家の山下惣一さんです。本当に性懲りがないといいますか、私たちは3・11の東日本大震災で大きなショックを受けたのではなかったか。たぶん多くの方たちが、これまでの歩みについていくらか振り返った、少なくとも立ち止まったのではないかと感じますが。しかし残念ながら、顧みるとそうでもなかったのかもしれないというふうにも思われます。

（3）「感染症」との向き合い方

改めて、先にも触れました感染症とどう向き合うかについてです。病気に対しては、病気にならない体力づくりというのが求められているわけですが、感染症に絞って考えると、先ほど紹介した明治期の、つまり「癩予防ニ関スル件」が成立する前の「伝染病予防法」では伝染病院のことを「避病院」と言っていたんですね。私はこの言葉を、「伝染病予防法」を調べ直すことで久しぶりに思い出しました。

実は私は旧筑穂町の小さな田舎の生まれなんですけれども、その村外れに「避病院」があったのを覚えています。幼い頃にその「避病院」、避ける病院と書きますよね。発音としては覚えていますが、それが伝染病院だったというのは今日まで知りませんでした。水俣でも、初期の重症・激症型の方たちは避病院に入院させられていたようです。

感染症と言いますと、みなさんどういう病名を思い付かれるでしょう。結核、そして梅毒(性感染症)、コレラは日本では3日でコロっと亡くなっていくということで「三日ころり」、ペストは真っ黒くなって死んでいくから「黒死病」と言い換えました。今挙げた病名だけでも、ある種の恐れ、という感覚に結びついていないでしょうか。「感染症＝恐れ」という、そういう感覚を私たちはこれまでの感染症、実際には経験していなくても、そんなふうに恐るべきものとして受け止めてきたのではないでしょうか。

もうひとつは　スーザン・ソンタグが『隠喩としての病』(みすず書房1982年)の中に書いていますが、病というのは、しばしば別名を持って一人歩きします。つまり、感染症の場合だったら、先ほど行った「三日ころり」や「黒死病」という言い方がそれにあたると思いますが、ある種のスティグマを貼り付けて一人歩きさせてしまうというふうに言ったほうがいいかもしれません。

曰く、穢れ、不謹慎、自堕落、無秩序、狂気、崩壊、虚弱、総じて「悪」、総じて「天罰」。そのように病気、とりわけ感染症という病を喩えて、あるいは思い込みをつくってきたのではないか。そうした理解の前提が必要なんじゃないかと振り返っています。

実は私の住んでいる町の有線放送で、お手元にも書いていますが、「自分や周囲の人の命を守るために不要不急の外出を控えましょう」というアナウンスが、去年の夏ぐらいから流されていました。私は、その言葉に違和感を覚えたものですから、町の広報の担当部局に連絡をして、「これはちょっと拙いんじゃないでしょうか」というふうに申し上げました。それ以来少し表現が変わりましたけれども、当初はそういう言い方、「自分や周囲の人の命を守るために不要不急の外出をお控えください」と言っていたのですが、みなさんの町ではどうでしょう。

「自分や周囲の人の命を守るため」つまり、「あなたがもし感染したら、あなたは人の命を危うくするのですよ」と言ってしまっていることになりますよ、と。また、そんなふうに言うと、かりに感染したら告知しませんよ。それに、もし感染したら、「私は大変な病気に罹ってしまったと震えおののくのではないですか、脅してどうしますか」と、優しく柔らかく申し上げました。

けれども、役場の担当者も何気なく、むしろ善意で、良かれと思って注意を呼びかけられたに違いないのです。違いないのだけれども、その一言の中に実は病む人、あるいはこれから病むかもしれない人に非常に大きな恐れを抱かせていく、そういうことが含まれてしまっているということですね。

先ほどの徳田靖之さんがハンセン病問題との絡みで指摘されていますけれども、「病む人に病気にかかったことの責任を感じさせてしまう。さらにその責任に加えて、誰か他人に感染させるかもしれない」というふうに二重の責任を、自己責任として背負いこませていくということ。それが、結局コロナ鬱(うつ)に追い込み、コロナ自死に追い込んでいくという構造になっているように思えてなりません。

もう一つ忘れていけないのは、こうした動きというのは、健康な人々、私は絶対に感染症にかからないと信じて疑わない人にも感染を予防する生き方、あるいは、健康増進のための生活習慣に従うことが求められるということなんですね。それも、自発的にです。「これは病気やら罹られんばい。ちゃんと国が言うことを守って、病気に罹らんごと健康増進に努めないかん」というふうに、ジワリジワリと私の中に自発的に思えてくる。それこそが「新しい生活様式」なるものの正体です。ちょっと揶揄して言えば「欲しがりません勝つまでは」ということのように思えなくもありません。そして見事に「健康増進法」の「健康は国民の責務」ということに私たちは応えていく。そういう方向に動いていく。あるいは動かされていくということではないのだろうかというふうに思います。

考えてみれば「生活習慣病」もかつては「成人病」と言っていました。それが、生活習慣の病ですから、「あなたの生活習慣が問題なのよ」と言われてしまっているんですね。つまり、生活習慣病という言い方は「自己責任なのですよ」ということの言い換えです。しかし、私たちはそれを当たり前というか、「そうたい、確かに生活習慣に気を付けないかん。やっぱりサプリを飲んで、ウォーキングもして頑張ろう」と思えてくる。もちろん、それ自体が悪いわけではないのだけれども、そうした日々が大きな流れの中ではどのような選択をしているということになるのか、という視点も欠かせないというふうに私は思います。

（4）「個としてのいのち」と「つながりとしてのいのち」

最後です。「個としてのいのち」と「つながりとしてのいのち」と書いています。最初にも申しましたが、個の尊厳と連帯というふうに言い換えてもいいわけですけれども、今その両方がとても危うい。つまり、私たちは人権ということ、命の大切さということを自ら手放そうとしているのかもしれないと危惧しています。

そういう危機の中にあるのではないかということを自覚する必要がありそうです。それは冒頭でも触れましたけれども、火葬の現場がウイルスの感染を恐れて混乱しているということがあります。厚生労働省は既に通達を出して「そんな馬鹿なことをしてはいけない」と言っているのに、そのアナウンスが不十分であったということもありましょうが、葬儀場のガイドラインで決まっているからということで、尊厳にふさわしいお別れができないままのお見送りが続いたということであったようです。

次に、これは読ませていただきます。シベリア抑留体験をなさった詩人の石原吉郎さんをご存知の方もいらっしゃるかもしれませんが、この方の『望郷と海』（みすず書房２０１２年）の中に書かれている文章です。

「ジェノサイド（大量殺戮）という言葉は、私にはついに理解できない言葉である。ただこの言葉のおそろしさは実感できる。ジェノサイドのおそろしさは一時に大量の人間が殺戮されることにあるのではない。そのなかにひとりひとりの死がないということが、私にはおそろしいのだ」

（石原吉郎『望郷と海』）

と書いています。大量殺戮という言い方をしますが、実はそこに一人ひとりの固有名としての命がない。つまり無名化されてしまっていると、そのことを石原さんは問題にしています。

そして、「つながりとしてのいのち」ということでは、また石牟礼さんの言葉を借りますけれども、「水俣の患者さんたちは、自分というものを、ご先祖様が宿っている連続した生命体として感じておられるのですね。連続する生命というのは人間だけじゃなくて、魚もそうだし、草木も土地もそうだし、水もそうでしょう。それを魂と表現なさいます」(『魂の言葉を紡ぐ〜石牟礼道子対談集』)
水俣の言葉では「魂」というふうに言うのですね。つまり、「つながるいのち」を単に今この空間におけるつながりとしてだけ考えるのではなくて、時間的な縦のつながり、つまり失われた命、これから生まれてくる命とも私たちはつながっているのだ。様々に無念の思いで亡くなっていった人たち、水俣やハンセン病の療養所で亡くなっていった方たちの思いも大事にしながら、今このコロナ禍の中で生きているだろうか。そしてまた、これから生まれて来る子どもたちのために、これからの社会がどうあったらいいのか、そのような「連続する生命体」として私を見つめていく、私の命を感受しながら明日を考えていく、そのことの大事さを石牟礼さんはおっしゃっているというふうに思います。

おわりに

次の中屋敷均さんの文章も、私がすごくヒントを頂いた指摘です。

「人間の胎盤を取り囲む膜構造は胎児に必要な酸素や栄養素を通過させるが、子宮の中の胎児を母親の免疫システムから守る役目を果たしている。この膜の形成に重要な役割を果たすシンシチンというタンパク質はウイルスが持つ遺伝子に由来する。つまり、先祖がウイルスに感染し、そのウイルスがシンシチンを提供したおかげで胎盤が機能し、ヒトがヒトの形になったというのである。われわれのゲノムのある部分はこのようなウイルス由来の遺伝子に占められている。われわれは親から子へと遺伝子を引き継ぐだけでなく、ウイルスからも引き継いでいる。ウイルスとヒトは一体化しており、ウイルスがいなければヒトはヒトになれないということだ。」

文字通り専門家の中屋敷均さんが「実はウイルスを目のかたきのようにしているけれども、ウイルスがいなければ人は人になれないんだよ」と書かれています。こういう事実を学び、私たちは謙虚に耳を傾けていかなければならないと思います。

もう一つ、先ほどの石牟礼さんの言葉を見田宗介さんが、『差異の銀河へ』という文章で言い換えておられます。あらためて私たちがこれからどういう社会、どういう人間のつながりを求めて歩んでいくのかいうことが、今回のコロナ禍で深く問われているというふうに考えています。

「人間を大切にするという思想は、人間だけを大切にするということを越える思想によってしか支えられない。

生きているものを大切にするという思想は、生きているものだけを大切にするということを越える思想によってしか、支えられない。」

（見田宗介『差異の銀河へ』）

終わらせていただきます。

ありがとうございました。

質疑応答

【質問1】

罰則規定について

本国会で要請を拒否した場合、罰則、懲役を設ける。今回のコロナ関連について罰則がなされたんですが、罰則は科料まで可決成立となりました。今回、ハンセン病の元患者さんたちが、いの一番に抗議の声を上げられた。私たちも改めて癩予防法の恐ろしさということを認識しながら、今回のコロナ感染について、国会や世間でもそうですが、罰則規定についてハンセン病に思い至るということがなかったと思って反省しています。その点について先生の考えをお聞かせ下さい。

【回答1】

感染症法及び特措法改正で罰則規定が設けられたのですが、虫の家も実は堅山さんたちの抗議に呼応する形ですぐ、意見書を出しました。一番大切なことは、感染症に限らず病気をした人が安心して療養できるという環境をどう創るか、そういう社会になるように私たちは力を注がなければならない。医療逼迫がこの国の国策によって、国策の失敗によってこういう事態をまねいている。そのことの自覚が国にいくらかでもあるならば、今回のような感染症法の改正は出てこないだろう。質問者の方もそうでしょうが、本当に反省していないだろうなということがよく分かりました。

こういう国の在り方というのが、相当ずれてしまっている。コロナの感染が、この先いつ終息していくかはわからないけれども、決して「新しい日常」という方向性が求められているのではないことを、改めてそれぞれの地域でつながりをつくりながら実現していく。充実した医療体制、社会的に弱い方たちにも十分に配慮の行き届いたそういう条件づくり、地域でどんな具体策をお互いに考えて行動していくかが求められていると思います。

いずれにしてもペナルティーという形で対応しようとするのは相当ひどい。しかも野党も行政罰だったらいいではないかと言っていることに憤りさえ覚えます。

この国はいったい何を学んできたのか、特にハンセン病国賠訴訟、家族訴訟で国の啓発が不十分だった、これから人権啓発をしっかりやらなければいけないと糾された。それなのにこのような罰則規定つきの感染症法、改正措置法をつくる。とても政治が劣化しているというか、恥ずかしいという感じです。だからこそ私たちは、逆にこれを機に病気の人や障害をもつ人たちが安心して暮らしていける、人権を守っていける条件整備を進めていかなければならないと思います。

【質問2】

人権啓発の在り方について
それぞれの地域で、どんな人権の啓発をしていけばいいのかという質問です
私が今取り組んでいることを紹介させてもらいます。私はオカリナ演奏をしながら、参加された方々が、自分の過去を振り返り未来を考えるという、人生と人権を重ねて思考するという啓発の形を、いろいろな地域の人権啓発団体の方々と一緒になってつくっています。
例えば、公民館研修においては、地域のリーダーの方々をお呼びして、その方々に一緒に考えてもらって、その後、地域のメッセンジャーになってもらうというやり方です。手法としては、そこで学習したこと、用意したワークシートや解答解説集を含めてお持ち帰りいただいて、各町内とかいろんなところで学習会をしてもらうというやりかたです。
それ以外に小グループで、ディスタンスということばかりが強調されてますけど、各地域において人間のつながりをどうつくっていくかを話し合い、その内容をみんなで交流していく方法です。
今後、私たちがどんな研修を組織し、何を説明していくのかその方向性を教えてください。

【回答2】

実は、同じテーマで福岡市内でお話をする予定ですが、主催者の方から、「どうも人権学習というふうに言っても、口では自分事として捉えようと語られるんだけれどもなかなかそうならない。や

っぱり、所詮、他人事なんだ。仕事だからやっている。けれども、一人の人間として問われたときに、自分がその課題をずっと日常のこととして考えているのかというと、ずいぶん怪しい部分があって…」と言われるんですね。そこで、分散協議の中で、そういう一人ひとりが自分の胸に手を当てながら議論できるようなテーマとなる小柱がないだろうかということになりました。常々考えるんですが、ハンセン病の学習会でも同じような指摘をされるんだけれども、自分事として考えるというのは難しいなというふうに思っています。今、とりあえず４つ小柱を考えています。

一点目です。「もしあなたが、ある町の有線放送でその原稿を書く担当だったらどんな呼びかけの文章が書けますか」です。先ほど言った「自分や周囲の人の命を守るために不要不急の外出を自粛しましょう」という言葉が連日定時に流され続けたけれども、もし呼びかける側だったらどんな言葉を選びますか、作りますか。これが一問目です

二点目です。先ほど質問なさいましたけれども、実は国レベルだけではなく、東京都は都民ファーストの会、それから福岡県議会でも自粛要請に従わなかった市民や事業者に対して罰則を科すという条例作りが議論されましたですね。

こういう意見が、私たちの住む地域の中にも一定程度ある。「そんなことがあったら、罰則化してでも…。言うことを聞かない奴は懲らしめなくては…」という空気が、むしろ次第に広がっているのかもしれないと感じていて、では、それに対してどう考え、対応策を練っていくべきかっていうことを、それぞれの本音に沿って語り合えたら、ということです。

三点目です。医療体制が逼迫して、人工呼吸器やＥＣＭＯ装置の数が限られているということか

ら、トリアージということが言われました。これは、私にとっては非常に大きな問題として突きつけられたわけですけれども、つまり、誰を生かし誰を死なせていくかの選択を迫られる事態が、遠からず私たちの身の内にも起こってくるかもしれない。片方でいのちの平等な尊厳などというふうに言っているけれども、そういう場面というかそういう局面に立ち会った時に私はどうするか、ということ。何か答えが出せるかというのが三点目です。トリアージとは、治療の優先順位ということですね。

四点目です。これは、先ほど後半のところで触れましたけれども、あるいはコロナ関連死とでも呼ぶべき、自粛要請に従い誰にも会わずに暮らしていた人が、孤立して亡くなっていく。そして、病院や高齢者施設などで起きているクラスター。イヴァン・イリイチが『病院化社会』あるいは『医療化社会』と呼んだように、かつては家族や近隣の共同の営みであったはずの生老病死の自然過程が、出生前診断あるいは予防医療、そして脳死＝臓器移植といった外部システムの働きに委ねられるようになりました。こうした社会の産業化に伴って変化してきた生命観や人生観、社会観の現在地についてあなたはどのように考えますか、という問い。四択にしてもいいし、この中から選んでいただいてもいいという形で提起をしています。どういう問いを立てるかというのがすごく大事なんだと思っています。

これがベストだと言っているわけではありません。私もですが、それを本当に自分の課題として問うというのはどういうことなのか、ということを改めて考えないといけないなと思いました。

そして同時に、ある町が子どもにも読める新型コロナウイルスに関わる人権啓発誌を作りました。私も読ませていただきました。わかりやすくしたいのでしょうけれども、やっぱりコロナが悪役なんですね。どうしてそうなってくるのか。先ほども言ったようにコロナウイルスというのは見えませんから「コロナウイルスを持ったその人に悪役がスライドする」っていう、横滑りしてしまう。「あいつは感染している。あいつは悪者」というふうになっていく。

そのあたりについては、今回は結構、行政庁舎の壁に「コロナに負けるな。頑張ろう！」みたいなことが書かれているところを見かけたんですが、どうしてああいう煽り方、元気の付け方をするのかなと、私はちょっと疑問に思いました。

もう少し立ち止まって考えた方がいい。コロナに負けるなって、「コロナ対私たち」みたいな、そういうふうに構図化した煽り方をしていくということに疑問があったんですね。

改めて私たちは、「何から何を守ろうとしてるんだろう」、「私たちが守ろうとしているものって何なんだろう」ということを考えないといけない。ただ単純に昔に戻ったらいいという話ではもちろんない。「何を守りたいのですか、あなたは？」ということを、この機会にちゃんと考えないといけないなということを、私自身への問いとしても思います。

だから、そこから改めて、やっぱり「いのちの平等な尊厳」というこの一点しか守るものはないと腑に落ちてくるのかどうか。本音からそういう言葉が出てくるのかどうかということが問われるんだろうなあ、というふうに思っています。

【ライブ配信視聴者から　質問3】

人権啓発の手法について

人権啓発というものは、「差別は許されない」というような一般規範のアナウンスだけに終始していては真摯に差別と向き合おうとしている人たちの心には決して届かないだろうと考えています。高石先生が考える啓発の手法をお聞かせください。

【回答3】

仰る通り、現在の人権教育は上滑りの傾向が強いと感じています。たぶん、持続的に関わってこられた現場の専門職の中には、そのような思いでおられる方が少なくないのではないでしょうか。

現在、「女性蔑視」発言で五輪組織委の森会長の辞任が問題化しています。それに関して自民党の二階幹事長が「社会の本音でもある」といった趣旨のことを報道陣に語ったと伝えられました。二階氏の発言は、森氏の認識を「社会の本音」に一般化することで、問題を拡大させたくないと企図したもののように思います。正確には、「森氏の本音」と言うべきだし、もしかしたら「私の本音」でもあるのかと推察します。

まさに、「差別は許されないというような一般規範のアナウンスだけに終始していては相手の心に届かない」という指摘の通り、今回のケースも、二階さんやその周囲の高みの見物をしている人たちにとっては、自分には関係ない遠い話なのでしょうね。

たとえば、障害者差別について議論するときは、「障害は無いほうがいいに決まっている」という感覚のレベルから問題にしなければならないと思っています。高齢者差別であれば、「認知症にだけはなりたくない」という意識をちゃんと取り上げないといけないとボクは思います。つまり、「何気なさ」の中にこそ孕まれるのだと考えます。もちろんその際に、いきなり「障害があってもいいじゃないか」という議論に持っていくのではなくて、なぜ「無いほうがいい」と思ってしまうのかというところに留まって、自らの「内なる差別」に向き合うことが不可欠なのだろうということです。

大学の「障害者論」でも、「もし出生前診断で、障害をもった子が生まれるかもしれないと告知されたらどうする?」と学生に問いかけると、初めて少しだけ「我が事」として考えてみるということになります。学問は「問学」だと言ったのは最首悟さんですが、障害者論でも人権教育でも、「問う」という持続的な営みを潜らないと「我が事」にはなりませんよね。つまり、人権教育とは自他に問いかける苦い場所(機会)の謂いでしょうか。

さらに、方法論としても、県や市町の人権講演会の類は、対象が地域の役職者に限られるという限界があります。もちろん、それも大切ですが、やはり学校教育、職場教育(企業)の充実が欠かせないと考えています。そして気になるのは、人権教育の主体である「教育委員会」や「福祉課」の内部教育も重要なのではないでしょうか。「啓蒙」と「啓発」は違うと言われますが、どちらも上から目線と感じてしまうのはボクだけでしょうか? 何より自分自身が、たとえば沖縄や原発の問題を考えれば、差別者、加害者であるという立場にも自覚的でなければなりません(構造的差別)。答えにもなっていませんが、そんなことをグズグズと考え続けることが大切ではないかと思っているところです。

【質疑を終えて】

こういう機会をいただくことで、実はギリギリまで私も考え続けてきました。それで、注意するのは、上滑りをしないようにしないといけないというか、「本当にお前は心からそう思って喋っているか」という、そういう疑問のようなものですね。それで今回、レジメを作るにあたってもだいぶ書き直しをしたんですね。やっぱり嘘くさいというか、紋切型というか、誰かの言葉を借りているだけじゃないか。まだまだ不十分ですけれども、つまり改めて私たちにとって人権は非常に危うい状況になっている。こういう時にこそ、私たちは私たちの言葉で、命の大切さ人権の大切さを紡ぎ直していく、そういう言葉を見つけ直す必要があるんじゃないかっていうふうに思います。

ご存じの方も多いかと思いますが、私が付き合っている菊池恵楓園の杉野芳武さんが、去年の1月18日に亡くなられました。残された奥さんは一人で寂しいでしょうが、いま会いに行けないんです。療養所も面会できないのです。コロナ禍の中で寂しいだろうし、同じ過ちを繰り返している私たちにメッセージがあるに違いないだろうけれども、それを伝えられないもどかしさは、杉野さんだけじゃなく多くの方が抱えていらっしゃるだろうと感じています。そんな思いに、「私たちはしっかりと応えないといけないはずなんだ。このコロナ禍の沈黙の時間があるからこそ、私たちの問いはさらに深められていく。あるいはそうしなければいけないのではないか。」というふうに思っています。

辺見庸という作家が、NHKスペシャルで新型コロナについて問われた番組で、「どうもこの国は、コロナ撲滅挙国一致統一戦線に向かっている。」という言い方をしました。ドキッとしました。この人一流の言葉遣いですが、まさしくヘタをするとそういう方向にもっていかれかねない。つまり感染症社会からの問いっていうのは、感染症そのものよりも、たとえば私たちが監視社会に向かっていく危うさを自覚しているかという問題でもあるということです。実は、感染症というのはそういう様々な危機を照らしているのかもしれない。改めてみなさんと一緒に、その辺りの動向にも注視をしながら、私自身も歩んでいきたいなというふうに思っています。

当日資料

【1　新型コロナ感染拡大の経過】

（2020年）

1月16日　厚労省が15日に国内初の感染者を確認と発表　＊感染者＝陽性判明者
1月18日　屋形船の新年会で集団感染
2月3日　クルーズ船「ダイヤモンド・プリンセス」横浜港に到着5日、10人の感染が判明
2月13日　総額153億円の「緊急対応策」を発表
3月2日　突然の「一斉休校」発表。誤情報でトイレットペーパー、ティッシュペーパーが品切れ
3月11日　WHO「パンデミック」宣言
3月13日　改正新型インフルエンザ等対策特別措置法成立
3月24日　東京五輪1年延期決定
3月29日　コメディアンの志村けんさん（70）が、新型コロナウイルス肺炎で死去
4月3日　世界で感染者数が100万人を超える
4月7日　東京、大阪、福岡など7都府県で、特措法に基づく「緊急事態宣言」発令
緊急経済対策として、全国の世帯に一住所2枚の布マスク（アベノマスク）配布決定
調達と配布で260億円を使用

※「外出自粛」「ステイホーム」「オンライン授業」「ネットで中傷」「同調圧力」(自己検閲)、「命の選別」「米国で銃購入者増加」などの報道流布

4月16日　全国で「緊急事態宣言」(5月6日まで)

4月17日　「一人一律10万円給付」決定

4月23日　女優の岡江久美子さん(63)が、新型コロナウイルス肺炎で死去

5月4日　「宣言」を5月31日まで延長

5月14日　39県で「緊急事態宣言」解除

5月24日　大相撲夏場所を中止

5月25日　全国で「宣言」解除

6月1日　感染者の行動把握のためスマホ追跡。生活支援のための給付金の支給迅速化を大義名分に、マイナンバーと個人の預貯金口座情報の「ひも付け」で資産の把握へ。「国民監視」との疑念

6月6日　集中治療を譲る「意志カード」に注目が集まる

6月16日　厚労省の発表によればコロナ解雇は25000人、うち非正規労働者が54%を占める

6月19日　プロ野球が無観客で開幕

7月22日　「観光需要喚起策」として「GoToトラベル」キャンペーンがスタート

7月24日　東京都の1日の感染者が初めて366人大阪府104人、福岡県66人

7月31日　全国の感染者が1463人で、一日の感染者数としては過去最多を記録

8月28日　コロナ法的措置を緩和の方針。医療資源を重症者治療に集中する、無症状者への入院勧告のあり方を見直すなど
　　安倍首相が辞任表明
9月15日　東京商工リサーチ調査で「コロナ倒産」が500件に到達（東京都、120件）
9月16日　菅義偉（よしひで）、第99代首相に選出
9月19日　大規模イベントの人数制限を緩和
10月1日　入国制限を緩和し、「GoTo」キャンペーンを拡大
10月3日　米国トランプ大統領、コロナウイルス感染
10月18日　欧州各国で新規感染者続出、第二波が深刻化。仏などで夜間外出禁止始まる
10月29日　国内感染者が10万人を越え、再び増加傾向
11月9日　北海道の新規感染者が東京（157人）を上回る200人に。専門家会議は「道内は感染爆発の状況」と指摘
11月13日　全国で感染者が初めて1700人を超える。東京都374人、大阪府が過去最多の263人、北海道235人、愛知県148人、神奈川県146人、大都市圏や北海道で感染拡大が深刻化
11月19日　全国で新たに2386人の感染者。東京都534人、大阪府338人を数える

12月4日　感染者数の高止まりが続く中、一日の死者数が45人、重症者が505人でいずれも過去最多を記録。コロナ禍で延期されたオリンピックの追加経費が2940億円に上ると発表

12月12日　感染者が3041人、初めて3000人を超える。重症者も過去最多の578人東京都の新規感染者621人過去最多

12月13日　「GoToトラベル」に関し、札幌、大阪に加え東京都と名古屋市についても27日まで一時停止すると表明。また、28日から来月11日までは全国一斉に停止することも決定

12月17日　東京都で新たに822人を確認、都独自の「年末年始コロナ特別警報」を発出

12月18日　米製薬大手ファイザー製のコロナワクチンについて、厚労省に薬事承認を申請、一方で、米国でワクチン接種後に、アレルギー反応を示したとの報告が5件ほどあったと発表

12月20日　国内感染者が20万人を超える。欧州ではコロナの変異種による感染が拡大していると報道

12月26日　日本でも変異種の感染が確認される。この日の全国の感染者数は3849人。東京都で949人、神奈川県480人、大阪府299人、京都府135人、福岡県で160人を数える

12月31日　全国で4520人が確認され、重症者数も681人で最多。東京都で初の1000人を超える1337人、神奈川県588人埼玉県330人、千葉県252人、福岡県でも190人で最多となる

（2021年）

1月6日　全国で前日の4913人を大幅に上回る6006人が確認される。東京都1591人、神奈川県591人、埼玉県394人、千葉県311人、愛知県364人、大阪府560人、福岡県316人と増加、

国内の累計感染者数は260265人、死者数は3834人となった

1月7日　全国で7475人を確認。東京都2447人、大阪府607人、福岡県388人

1月8日　東京、神奈川、埼玉、千葉の首都圏を対象に、特措法に基づく「緊急事態宣言」を再発令。飲食店の営業時間短縮を要請するなどの内容で、期間は2月7日までの一か月間

1月13日　新たに大阪、京都、兵庫、愛知、岐阜、栃木、福岡を「緊急事態宣言」の対象地域として追加。

1月18日　自公両党は新型コロナ感染症対策本部などの合同会議を開き、通常国会に提出する新型インフルエンザ等対策特別措置法や感染症法、検疫法の改正案を了承、政府は2月初旬の設立を目指す

（2021年1月18日現在）

【2 新型コロナが炙り出した私たちの差別性】

○ 医療者やその家族に対する中傷や嫌がらせが横行。「バイ菌」扱いなども

○ デマや誤情報による社会の混乱（インフォデミック）

○ 営業自粛の強制～「同調圧力」。営業継続の店舗に張り紙で嫌がらせ。店舗・個人を通報、攻撃する「自粛警察（自警団）」が問題化

○ 感染者の自宅に投石する、落書きで嫌がらせ。飲食店の利用、保育園の通園、歯科医の診療拒否。県外ナンバーの車に傷をつける。感染が疑われる学生のいる大学に脅迫電話、関係のない学生までアルバイトを断られる。

○ 埼玉朝鮮初中級学校幼稚部が市のマスク配布対象から除外される。朴園長「子どもの命の線引きをされた」（抗議が相次ぎ、後に配布）。その後、同園は「マスクが欲しければ国に帰れ」などのヘイトスピーチの嵐に襲われる。また各地の商店街や飲食店で「中国人お断り」「武漢ウイルス」などの張り紙が発見される。

○ 「感染者＝加害者」の扱い～各地で感染者排除の空気の蔓延。実際に感染した人が仕事を辞めざるを得なくなり、子どもも転校、引っ越しした家族もいたという。

○ 医療体制のひっ迫に伴って、「命の線引き（選択）」、トリアージ（治療の優先順位）が問題化「回復しやすい患者優先」（イタリア）、「高齢者見捨てた施設」（スペイン）など。新型コロナで「意志カード」（医師が代表を務める団体）。「誰を死なせて誰を生かすべきか、私たちは決めなければならない」。

○「日本は何もしないことが有利な社会といわれる。したことの責任より、しないことの責任が見えにくい。」（神里達博）≪不作為の責任≫

○「ゼロリスクを求める『潔癖』な心性は、悪質なナショナリズムと相性がよい」（武田徹）

○「感染したら周りに話せる？」「いじめを恐れてウソをつかせる社会はおかしい」「『自分も感染しているかも』と、我が事として思える社会であってほしい」「まず、感染者を支えよう」（雨宮処凛）

【3　いのちより国策】私たちはずっと少数の人の犠牲を見過ごしてきた

①　ハンセン病　－　日の丸の汚点　－

○　業病、天刑病、国辱病、野蛮の表徴、非文化病、不治の病

○　強制隔離、懲戒検束（監禁）、断種（不妊・中絶手術）、村八分（外し）、いじめ、焼き打ち、病名貼付、家族被害、特別法廷、宗教的慰安、優生思想、民族浄化、社会防衛・・・

○「養育院は東京市の掃きだめといわれるほど、雑多な行き場のない人たちが集まり、・・・腐った梨のように肉のくずれたライ患者が、のんびりとイロリにあたって煙草をふかしていた。」「肉体の崩壊、醜悪、不潔、世に癩にまさる疾患あらんや。社会の指弾排斥を受け、その余波は九族に及ぶがごとき。人生の災厄は、癩を措きほかにこれにまさるものあらんや」（光田健輔）

②　水俣病　－　最大多数の最大幸福　－

○　三重の差別、漁民差別、流民差別、病者差別

○ 奇病、罰あたり病、猫踊り病、伝染病、金の亡者、病棟隔離、離島棄民、投石、ニセ患者発言、不買運動、認定審査、「チッソ城下町」・・・

○ 「水俣病問題の核心は何か。金もうけのために人を殺したものは、それ相応のつぐないをせねばならぬ、ただそれだけである。」（石牟礼道子『流民の都』）

○ 人間も水俣湾の魚も、水銀汚染で奪われた命はいずれもかけがえのないものである。にもかかわらず近代社会は、これを交換可能な経済的価値に置き換えようとしてきた。人間の命ですら、水俣病補償という形で貨幣換算されてしまう。「再生の物語」は、こうした近代社会に対する根源的な問題提起である。（除本理史「闘争から表現へ」『現代思想』2018vol.46-7）

③ フクシマ ― 核(原子力)の平和利用 ―

○ 「放射能がうつる」、乗車（診療・入店・給油）拒否、ネットいじめ、運転妨害、落書き、放射能離婚、原子力ムラ、「白河以北一山三文」

○ 「つぶれそうなタクシー会社一つだけだったのが四つになってね。原燃さんが来てくれるまでは、一年の半分以上出稼ぎに出なければならなかった。危ないところでススだらけになりながら、家族と一緒に過ごせる日だけを楽しみにして汗水たらして働いて。今は一年中家族と一緒にいられる。」（住民）

○ 「原子力産業は、ある一定の人数の労働者が死んでいくことを前提として存在する。」（藤田祐幸…物理学者）

○「自然にはまず起こることのない核分裂の連鎖反応を人為的に出現させ、自然界にはほとんど在しなかったプルトニウムのような猛毒物質を人間の手で作り出すようなことは、本来、人間のキャパシティを超えることであり、許されるべきではない。」（山本義隆…物理学者）

【4 私たちは「いのち」にどう向き合ってきたか】「生老病死」の外部化(医療化)

① 出生前検査、なぜ胎児の病気や障害を調べるのか

○いま妊娠、出産、育児の段階で母親、胎児、赤ちゃんに対する診断が執拗に行われている。この管理の出発点になるのが出生前診断である。

○出生前診断は、いのちのはじめの段階で、「障害」を見つけ出し確実に排除する方向に向かっている。

② 安楽死・尊厳死

○「安楽死」とは、助かる見込みのない病人を、苦痛の少ない方法で人為的に死なせること。「尊厳死」とは、生前意思(リビング・ウィル)に従って延命治療を中止し、死に至らせること。人に迷惑をかけずに自分の「生命の質」の高さを感じ、「尊厳ある死」を考える人が増えているといわれる。

○　１９９６年、日本尊厳死協会が会員にアンケートをとったところ、認知症になったら「尊厳死」をさせてほしいという会員が８５％にのぼったという。

③「脳死＝臓器移植」と人の資源化

○　心臓移植は、心臓がいったん止まってしまうと成功する確率はほとんどなくなる。そのため、心臓が動いているのに「死んだ」という状態が必要になり、「脳死」という考え方が登場した。
〝体が温かい状態で宣告される死！〟

○　脳死が社会にもたらす変化として、限りなく死に近い人には治療を行わなくても構わないという考え方が強まっていくのではないかと懸念されている。現に人工透析の患者に対する治療放棄が目立ってきている。

○　人間の資源化・商品化・記号化～人体組織、細胞、染色体、ＤＮＡ、精子・卵子、ゲノム編集、デザイナーベビー、人体部品工場……

※　２０２１年２月９日に公益社団法人福岡県人権研究所が福岡市立中央市民センターにおいて実施した「啓発担当者のための人権講座」での髙石伸人さんの講演を書き起こし編集したものです。資料については、当日配布された資料からの抜粋です。

資料①（機関紙「虫の家だより」から）

疑心暗鬼を生ず

高石　伸人（「虫の家だより」130号から）

何だか社会の酸素濃度が減少して、全体主義的な空気が充満しているような気がするのですが、あなたはどうお感じでしょうか。ボクには、かねて潜在していた生存不安に加えて、新型コロナウイルス感染拡大に伴う「同調圧力」が働いているからだと思われます。テレビの報道番組は日々、「不要不急」や「密閉・密集・密接」を避けるようにと、耳にタコができるほど連呼し続けていて、ひっ迫する医療現場の実態に照らせば、治療の「不要」な命探し、急がなくて（放っておいて）も構わない「不急」な人探しに繋がるのではないか、いや、既にそうなっているらしいという情報さえ聞こえてきます。このトリアージ（治療順位、選別）という作業は、いきなり緊急事態に起動するわけではなく、平時における無意識下の価値観がマニュアル化されているものだと言えます。例えば、交通事故で若い人が亡くなり、高齢者が生き残ったような場合、ごく自然に「代わっておればよかったのに……」などという声が聞こえてきそうですし、「ボケて、人に迷惑をかけてまでは生きたくない」などという何気ない言葉にも、生命の優先順位が表現されているように感じます。既に、生殖医療の現場では、13

トリソミー（染色体変異）や18トリソミーの新生児には積極的治療をしないという「クラス分け」が示されていますし、終末期医療においても透析患者の治療放棄が学会で論議されていると聞きました。

生命の選別といえば、今回の非常事態の陰で「相模原障害者殺傷事件」の判決が忘れ去られつつあることも気がかりです。死刑が確定した植松青年は、法廷でも「意思疎通ができない重度障害者はいらない」という主張を変えませんでした。人間の価値を「できる・できない」で判断し、役に立たない者は「安楽死させた方がいい」という彼の主張は、旧優生保護法下での強制不妊問題とも通底しています。陰鬱な日々の中での不満や閉塞感は、時として少数者への不寛容や排斥に転じてしまいがちです。つらい時にこそ、私たちは「来た道」を省み、支え合わなければならないと痛感します。

「疑心暗鬼を生ず」や「呉牛月に喘ぐ」（昼間太陽の暑さに苦しんでいるため、夜に月を見ても太陽と思って喘ぐの意）のことわざにあるように、見えないコロナ、正体不明のウイルスへの恐怖心が、しだいに人と人の関係を遮断し、その結果、家庭内での暴力や虐待、DV、さらに、最前線で頑張っている医療従事者や介護労働者とその家族への嫌がらせといった問題まで起きています。もちろん、そうした不安と不信の拡がりを生んだ政府の初動対応の遅れ、アベノマスクや首相自演の自粛動画に見られる、独善的で頓珍漢なパフォーマンスなど、改めてハリボテ政権の責任は大です。そして、見通し困難な今だからこそ、自分ファーストや「寄らば大樹」への傾斜にも十分に注意を払いたいと思っています。

欲しがりません、勝つまでは

高石　伸人（「虫の家だより」133号から）

昨年、本紙130号に「疑心暗鬼を生ず」を書いたときには、正直に新型コロナウイルスの感染がここまで拡大するとは思わず、まして、わが身が感染するなどとは露ほども想像していませんでした。昨年8月の虫の家の「デイキャンプ」で、家族3人だけが感染の当たりくじを引き当てて、直方市内の病院の専用病棟で二週間の入院生活を送りました。その間、虫の家の「のんびり工房」も通園休止の事態となり、メンバーさんたちには、外出自粛の苦い日々を送らせてしまいました。幸い、わが家にも虫の家にも投石や貼り紙の嫌がらせなどはありませんでしたが、感染を知った人たちの中には、消毒の心配をしてくれたり、ちょっと接見距離を空けるなど、不安を持たれた方もおられたようです。そういえば、小竹町内の有線放送は、「自分や家族のいのちを守るため、不要・不急の外出は自粛しましょう」というアナウンスを、今も毎日定刻に流していますから、感染への「恐れ」は洗脳に近いかたちで浸透しているだろうと危惧しています。

「他者を遠ざけることで身を守る『新しい日常』からどんな未来が描けるのか、自分が生き延びること以外に関心が持てない社会になっていいのか」とG・アガンベンは問いかけます。ボクの言葉に変換すれば、自分は、何から何を守ろうとしているのだろうかと考えてしまいます。他者を消し去り、今こそ「無病息災」、「家内安全」を頼み、ウイルスから自分や家族の命を守ることだけに心を奪われる。そして感染者からの社会防衛？　「世界全体の幸福」などとは言えないまでも、「共生」や「いのちの平等な尊厳」といった願いはどこに霧消したのだろうかと自問してしまうのです。感染症を克服できたけれど、〈あなた〉との大切なつながりを失い、人間社会は崩壊していたということにならなければいいのですが……。

改めて今回のコロナ禍で、ボクたちは、いつ何が起きるか分からない時代を生きているのだと痛感します。「文明は感染症の揺りかご」という言葉があるそうですが、人間の営みがウイルスを広げているという認識が語られているのです。そして、「感染症」への向き合い方も問い直さなければなりません。S・ソンタグが『隠喩としての病い』で論じたように、病はもう一つの意味を付与されて独り歩きをしてしまいます。時に「天罰」であり、「穢れ」であり、「堕落」「狂気」にも喩えられます。今回の新型コロナウイルスに対しても、ボクたちは「悪者」扱いをし、敵視する言葉を浴びせてきました。しかし、ウイルスは目に見えずに人から人へ感染するものですから、排除の眼差しは人間に横滑りすることになります。つまり、感染した(させた)あなたの責任が追及され、加害者とされてしまうのです。もちろん、健康な人たちも、「新しい生活様式」という感染予防、健康増進のための生活習慣に従うことが求められているのです。誰ですか、「欲しがりません、勝つまでは」などと揶揄しているのは?　かくして、コロナ撲滅挙国一致体制は完了に向かうのでしょうか。

資料②（菊池恵楓園自治会機関誌「菊池野」二〇二〇年十一月から）

つながりを手放してはいけない　―新型コロナ禍の分断と差別を考える

髙石　伸人

外勤で訪問していた高齢女性の旦那さんが亡くなった。奥様の介護を老体に鞭を打ちながら続けていたが、奥様が骨折をきっかけに施設に入居となったため独居になっていた。近所に娘夫婦たちが暮らしていたが、町からは不要不急の外出を控えるようにとの「要請」があったため、それを愚直に守り、会うことはなかった。それまで唯一の楽しみにしていたパチンコへもいけなくなり、自宅でひっそりと亡くなっていたところを発見されたらしい。当時も今も彼が住んでいた町は感染流行地域ではなかった。当該地域の自粛要請は誰を守ったのだろうか。（六月三日・N記）

東京に住む若い友人が、たぶん訪問看護か居宅介護の仕事をされているNさんからの投稿を、インターネットで紹介してくれました。新型コロナウイルスの感染拡大防止という誰もが頷き、とても異議を挟めそうもない大義名分のもとで、もしかしたらこの男性のように、誰にも看取られずにひっそりと亡くなっている人がいるのではないか。「自粛死」とも呼ぶべき事態が各地に広がっているのかもしれないと、私には思えてなりません。

〈感染拡大の経過〉

この国で初めて新型コロナウイルスの感染者が見つかったのは一月十五日でした。数日後に屋形船の新年会での集団感染が確認され、二月に入ってからはクルーズ船「ダイヤモンド・プリンセス」が横浜港に到着後、五日に十人の感染が判明。その後、次々に感染が拡大し、水際対策の重要性が指摘されました。やっと十三日に政府は一五三億円の「緊急対応策」を発表しました。そして三月二日には、首相独断での突然の「一斉休校」の報道に、多くの私たちは唖然とさせられました。とりわけ、生活保護受給世帯やひとり親家庭、非正規労働者世帯の子どもたちなど、給食を命綱にしているような厳しい生活を強いられている人たちからは悲鳴にも似た声が上がっていました。

三月二十四日には、夏の東京五輪の延期が決まり、月末には、コメディアンの志村けんさんがコロナ肺炎で死亡。翌月の女優・岡江久美子さんの逝去とともに、コロナ重症化の印象を人々に植え付けることとなりました。そして、四月七日には東京、大阪、福岡など七都府県で「緊急事態宣言」が発令され、経済対策として全国の世帯に二枚の布マスク（アベノマスク）配布が決定されました。その後、五月には大相撲夏場所が中止され、延期されていたプロ野球は、六月十九日に無観客で開幕。七月末からは低迷する観光需要喚起策として「GoToトラベル」キャンペーンがスタートし、今も続けられています。感染が収まらない中、八月末に安倍首相が体調不良を理由に辞任し、九月半ば、菅義偉官房長官が首相に選出。十月三日には米国のトランプ大統領がコロナウイルスに感染し、そして十月二十九日、国内の感染者は十万人を越え、再び増加の兆候を示しています。

この間、一日当たりの感染者数がピークを迎えたころ、深く憂慮されたのは「医療崩壊」の危機でした。それまで人員の削減も含めて行政改革の対象とされ、受け入れる力も半減に近い状態に追い詰められていた保健所が、新型コロナの相談窓口とされて、保健師などのスタッフはほとんど能力の限界まで懸命の対応に当たっていたことを私は知っています。また、二〇二五年までに全国の四四〇にのぼる公立・公的病院の整理・統合もスケジュール化されていて、もし新型コロナの感染が二～三年遅れていたら、「医療崩壊の日常化」という事態が現実のものとなっていたことは明白です。幸い、今のところは重症者が減少するなど、何とか持ちこたえるといった状況のようですが、十年前の新型インフルエンザ流行時に厚労省の総括会議がまとめた「感染症提言」も放置されてきたことを重ね合わせると、この国の政権には反省能力がないように見受けられます。

〈コロナ禍に見る分断と差別〉

「新型コロナウイルスよりも人間のほうが恐い」という声があちこちから聞こえてきます。近隣の市でも、最初に新型コロナに罹患した方の家に投石や落書きなどの嫌がらせが続き、とうとう仕事も辞め、子どもは学校に行けなくなり、引っ越しをされたという話を聞きました。また、部落解放・人権研究所が主催したシンポジウムでは、「感染者の家族が通う学校に『その教室だけ消毒してほしい』と保護者から連絡があった▽医療従事者がタクシーや引っ越し業者、なじみの飲食店の利用を拒否された▽医療従事者の子が保育園の通園を拒否された▽長距離運転手が歯科医の診療を拒否された▽横浜中華街の複数の店に『中国人は早く日本から出ていけ』と手紙が届いたなどの事例が報告されたといいます（『朝日新聞』六月三十日）。

確かに私たちの周囲でも、医療や介護に関わる従事者や家族が嫌がらせや中傷を受けたり、報道でも、営業を続ける店舗への非難の張り紙や県外からの車に傷をつけたり、感染を疑われる学生が通学する大学に脅迫電話をかけ、関係のない当該大学の学生がアルバイトを断られるといった問題も耳にしました。支えるべき病気の人を「感染症」だと分かると「加害者」のように扱う私たちの歪んだ感覚。これまでのハンセン病や水俣病（初期は伝染病とも言われた）、フクシマ（原発事故後に「放射能がうつる」として子どもたちがいじめに遭った）の経験から何を学んできたのでしょうか。

私の住む町では、今も夕刻になると有線放送で外出自粛要請のアナウンスが流されます。当初は「自分や家族のいのちを守るため、不要不急の外出は自粛しましょう」という内容でしたが、さすがにそれは拙いだろうとメールを送信し、「感染したら周囲の人のいのちを危うくするという言い方をしていたら、感染しても周りに話せなくなるでしょう」と訂正を促したら、その部分を削除して流されるようになりました。もちろん、担当者は町民に感染が広がらないようにとの善意から考えたのでしょうが、「うつる病気」は人々の自己防衛本能を高めて、自分が感染しないようにという思いばかりに捉われ、「自分も感染するかも」という想像力は働かないようです。

また、社会の分断という意味では、先に触れた一斉休校によって、経済基盤が弱い、リスクの高い家庭が追い詰められたということがあります。給食だけでなく、頼りにしていた「子ども食堂」の休止や閉鎖によって日々の糧とともに行き場を失ったという子どもたちもいたようです。さらに、安倍元首相の動画が物議をかもした「ステイホーム」の呼びかけは、ホームのない人、ネットカフェの休業で住む場所を失った人、失いかけている人々が急増しているという実態を無視しているように映りました。同じく、家に居ながら仕事ができるという「テレワーク」についても、それが可能で教育や収入も高い知的労働を担う層と、困難な現業労働者等との格差の拡大も可視化されました。それは「オンライン教育」においても同様で、公立か私立か、地域や家庭環境によって違いは大きく、将来の教育格差にまで影響が及ぶという指摘もありました。

そして、私が一番気になったのは、医療現場における問題です。一時の医療ひっ迫の状況の中で、数に限りのある人工呼吸器やＥＣＭＯ（体外式膜型人工肺）の配分をどうするかの議論が浮上しました。新聞紙上でも、「命の線引き」という見出しで、イタリアで「回復しやすい患者優先」、スペインでは「高齢者を見捨てた施設」などの記事が掲載されました。もっともこの「トリアージ」（治療の優先順位）というテーマは、コロナ禍以前の「平時」の問題として潜在していました。相模原障害者施設殺傷事件の死刑囚、植松聖青年が問いかけた「障害者（後には「心失者」と言い換えました）はいないほうがいい」という考え方にも繋がります。既に、生殖医療の現場では「クラス分け」と称して、ある種の染色体変異を持つ子どもには、特別な医療的措置は行わないという取り決めができているそうです。つまり、「誰を死なせて、誰を生かすべきか、私たちは決めなければならない」ということです。

〈改めてコロナ禍で何が問われているか〉

「コロナ禍」の「禍」は「禍々(まがまが)しい」の禍です。私たちの運営する「虫の家」の友人も書いていることですが、障害をもつ人や病気の人たちを差別する、この人間という存在こそが「禍々しい」と思い知らされます。加えて、新型コロナウイルスの第三波が心配されている時機に、内閣と自民党による元首相の葬儀に一億近い税金を投入するという、そうした神経と行為にも驚かされます。政党支持の如何に関係なく、そんな予算があるのなら、医療機器の整備や生活に喘ぐ人々への手当てにこそ充てるべきではないかというのが、普通の庶民の感覚ではないかと思うからです。

言うまでもなく、今や、いつ、どこで何が起きるか分からない時代を私たちは生きています。「文明は感染症のゆりかご」という言葉があるそうですが、人間による地球環境、生態系の破壊によって、新型ウイルスの拡大や気候変動といった世界的危機の事態に立ち至っているという認識が語られているのです。「ウイルスは何十億年も前から生きてきた存在です。ホモサピエンスの二十数億年とは比較になりません。これからもパンデミック(感染爆発)が起こることは避けられない」と立命館アジア太平洋大学の出口治明さんは書いています。ミナマタやフクシマが教えたように経済効率性だけを優先して構築された「いのちよりお金」の社会は、後に取り返しのつかない大きな惨禍をもたらします。

それにしても私たちは、なぜ同じ過ちを繰り返すのでしょうか。ハンセン病の場合も同様でしたが、感染者や家族に対する排除の多くが地域住民によってなされるということです。評論家の佐藤直樹さんは「コロナ禍の不安や恐怖を背景に、『世間』の同調圧力と相互監視はかつてないほどに強まっている」と指摘していますが、店舗に投石し張り紙をするのも、感染者や家族、医療従事者までバッシングするのも「世間」が強化されたためだと語っています。身内でもアカの他人でもない中間の、誰とも名指しできないグレーな関係世界、とでもいうのでしょうか。感染者を犯罪加害者と見なし、自分たちを被害者として、加害者から自分たち被害者の社会を守るという「社会防衛」の考え方が今も亡霊のように生き残っています。九州大学名誉教授の内田博文さんが指摘するように、包括的な差別禁止法や医療基本法が必要なのでしょうか。

毎日新聞の元村有希子さんは「『ウイルスに感染しない、させない』だけを目的に生きる、つながりの希薄な暮らしで、私たちはこれからの長い旅を乗り切れるだろうか」と記しています。今も、親しい知人の幾人かが病院の片隅で誰とも面会ができずに、孤立した日々を送っています。また、火葬の現場がウイルスの感染を恐れて混乱しているという情報もありました。ひとり一人の人間としての平等な尊厳を守るという願いが、私たちの社会では軽視されているのではないかと思えてなりません。

こうした新型コロナ禍の閉塞した状況下でこそ、作家の辺見庸さんが「私たちが『存在してしまう』ことは、主体的にあるのではなく、『気付いたらそうだった』という偶然によるものです」と綴ったように、「いのち」は恵まれたものであること。〈私〉という存在は多くの人たち、生き物の命の「つながり」の中で、今を生かされているということ。だからこそ、このかけがえのない「いのち」を大切に生きていかなければならないということに気づきたいと思います。そして、病気や障害で苦しむ人を支え、誰からも話しかけられない人の傍らに身を置く、そんな人と人のつながりを手放してはいけない、と自分に言い聞かせています。

水俣の漁師、緒方正人さんが八六年にしたためた「問いかけの書」の結語は、今も色褪せずに輝いています。「人は自然を侵さず、人は人を侵さず、人は自然の中に　はぐくまるるものなり　人は人と人の間に生きる人間でなければならない」。

【参考文献】

『ウイルスは生きている』中屋敷均著、講談社現代新書、２０１６年
『こんなときだから希望は胸に高鳴ってくる』最首悟著、くんぷる、２０１９年
『いのちと平等をめぐる十三章』竹内章郎著、生活思想社、２０２０年
『新型コロナ　十九氏の意見〜われわれはどこにいて、どこへ向かうのか』内山節、内田樹他著、農文協ブックレット、２０２０年
『現代思想２０２０／ＶＯ１・48－7【緊急特集】「感染／パンデミック〜新型コロナウイルスから考える」』G・アガンベン、小泉義之他著、青土社、２０２０年
『思想としての〈新型コロナウイルス禍〉』大澤真幸、酒井隆史他著、河出書房新社、２０２０年
『コロナ後の世界を生きる〜私たちの提言』村上陽一郎編、岩波新書、２０２０年

ブックレット菜の花 23「感染症と差別」

いのちの平等な尊厳の実現をめざして

― 新型コロナウイルス感染症が炙り出した分断と差別 ―

2021 年 7 月発行

著者　髙石　伸人

発行　公益社団法人福岡県人権研究所
〒812-0046
福岡市博多区吉塚本町 13-50
福岡県吉塚合同庁舎 4 階
TEL (092) 645-0388
FAX (092) 645-0387
URL http://www.f-jinken.com/
E-mail info@f-jinken.com